11.16.93

Queridos Hugo, Sally, Amalia, Sofía y Charles:

Este libro, que lleva una parte de nuestra querida Argentina es para que sepan que en el tiempo que vivimos en Boston, vivimos junto a ustedes parte de los momentos más felices de nuestra vida.

Siempre están en nuestro corazón y ojalá volvamos a estar todos juntos pronto.

Besos
Gustavo, Feli, Pilar, Milagros e Inés Canzani

ARGENTINA
Las Grandes Estancias

ARGENTINA
Las Grandes Estancias

PRODUCCIÓN Y DIRECCIÓN EDITORIAL
Juan Pablo Queiroz y Tomás de Elia

INTRODUCCIÓN
Bonifacio del Carril

TEXTOS
César Aira

FOTOGRAFÍAS
Tomás de Elia

con veinticinco fotografías por Cristina Cassinelli de Corral

RIZZOLI
NEW YORK

Brambila
BUENOS AIRES

Fotografías de páginas 51, 56, 91, 96, 97, 100, 122, 134 (inferior), 136, 137, 139, 141, 143, 170, 171, 173 a 175, 195 a 201, por Cristina Cassinelli de Corral.

Las reproducciones fotográficas de arte y de fotografías de archivo fueron tomadas por Caldarella & Banchero, Buenos Aires.

Diseñado por Marcus Ratliff, Inc., New York.

Primera edición
Primera reimpresión

Impreso en Amilcare Pizzi, Milán, Italia, en enero de 1996.

ISBN 987-95398-0-X

Indice

Agradecimientos

EN PRIMER lugar queremos agradecer a los propietarios de las estancias por la generosa hospitalidad ofrecida y por habernos hecho conocer en detalle la historia de sus establecimientos. Agradecemos también al personal de las estancias por su amable cooperación.

Recordamos con gran afecto y respeto a Bonifacio del Carril, fallecido poco antes de que finalizáramos este proyecto, quien nos dedicó innumerables horas enriqueciéndonos con su erudición y humanismo. A nuestro amigo César Aira, un agradecimiento especial por su eficiente colaboración en la preparación del texto y por su infinita paciencia. Gracias a Cristina Cassinelli de Corral por su entusiasmo y dedicación. A César Caldarella y Juan Carlos Banchero por la excelente reproducción de las obras de arte y fotografías antiguas que ilustran este libro.

Nuestro más profundo reconocimiento a todos los que desde su inicio creyeron en este proyecto siguiéndolo con entusiasmo durante sus diferentes etapas: Carmen de Iriondo, Pablo Larreta, Nicolás García Uriburu, Teresa de Estrada de Cárcano, Matilde Gyselynck y Josefina de Iriondo de Atucha.

Agradecemos a todos los que de un modo u otro cooperaron en el desarrollo de este libro, en particular María Cristina Monterubbianesi, Adela Gauna, Bonifacio P. del Carril, Lucía Gálvez de Tiscornia, Yuyú Guzmán, José María Pico, Juan A. González Calderón, María Luisa Herrera Vegas, Jorge Naveiro, Carola Martinez de Hoz de Ramos Mejía, Arq. Jorge O. Gazaneo, Rafael de Oliveira Cézar, Carmen Méndez Duhau de Zuberbühler, José Alfredo Martinez de Hoz y Alejandro Cordero (h).

Un especial reconocimiento al personal de las bibliotecas de la Sociedad Rural Argentina y de la Academia Nacional de la Historia por facilitarnos el material para nuestra investigación.

Agradecemos especialmente a Jorge Glusberg, Director del Museo Nacional de Bellas Artes y a Marta Fernandez, del Departamento de Conservación de Obras de Arte. A Mercedes di Paola de Picot, Directora del Museo Municipal de Arte Español Enrique Larreta, y a María Teresa Dondo de Barcia, Jefa del Departamento de Museología. A Alfredo I. Barbagallo, Director del Museo Histórico Nacional.

Si bien agradecemos a todos los que nos ofrecieron su colaboración, queremos mencionar en particular a Miguel y Carlos María Cárcano, Rodolfo de Liechtenstein, Massoumeh Farman-Farmaian, Anita Braun de Biquard, Norberto Padilla, Dinorah Gutiérrez Zaldívar de Larguía, Julio Suaya, Natalia Kohen, Ed Shaw, Ricardo Siri (h), Lucrecia de Oliveira Cézar de García Arias, Stella, vizcondesa de Ednam, Clara Juárez Celman, Mario del Carril, María Teresa Cárdenas Ezcurra, Marcos de Estrada (h), Elsa Palilla, Paula Larreta de Ayerza, Sergio M. Ellmann, Azul García Uriburu de Pereda, Amalia Teresa Monterubbianesi, y en Tierra del Fuego, Rae Natalie Prosser de Goodall y Abigail Goodall.

En Rizzoli International Publications, New York, nuestro más sincero agradecimiento a David A. Morton y Elizabeth White, quienes desde un comienzo apoyaron el proyecto ofreciendo su valiosa y experta opinión, y a Megan McFarland por su gran comprensión y buena disposición.

También en Nueva York, expresamos nuestra especial gratitud al Embajador Guillermo J. McGough, Cónsul General de Argentina, a Rita Guibert, Daniel Shapiro, Reinaldo Herrera, Sarah Jane Freymann, Mimí Gonzalez Moreno, Carol Frederick, y en particular a Paulette Villanueva. Fue un placer contar con la colaboración del Diseñador de Arte Marcus Ratliff y Amy Pyle.

Tomás de Elia y Juan Pablo Queiroz

IZQUIERDA: *La casa principal de Arroyo Dulce, en la provincia de Buenos Aires.*

Introducción

EN LA ARGENTINA los establecimientos de campo se llamaron y se llaman *estancias;* sus propietarios, *estancieros,* hacendados o ganaderos. Las estancias constituyeron la base de la vida espiritual, económica y social del país. Lograron fama y trascendencia porque fueron a través del tiempo factores representativos de la capacidad creadora de sus dueños. Evocar su historia y su evolución dentro de los precarios medios de vida iniciales, fue siempre tarea noble y digna.

Concebido y realizado por Tomás de Elia y Juan Pablo Queiroz, este libro constituye un homenaje a los hombres de campo argentinos que fundaron las estancias, afrontando, con abnegación y sacrificio, cuando fue necesario, la diversidad de climas, la soledad y hasta la fiereza de los indios en los malones. Contiene la descripción fotográfica de veintidós importantes establecimientos diseminados por todo el país, con textos escritos por César Aira. Comienza con la fachada de la iglesia y estancia Santa Catalina de los jesuitas en Córdoba, siglo XVIII, que cobija generosamente a todas las demás; dos más en la misma provincia de Córdoba; una en Mendoza; otra en Tucumán; dos en Salta; una en Corrientes; once en la provincia de Buenos Aires; finalmente, dos en Tierra del Fuego y una en Neuquén.

Las primeras estancias fueron una prolongación de las antiguas vaquerías, institución fundamental de la economía pastoril en los primeros tiempos de la Colonia. El inmenso territorio ofrecía vastas extensiones de tierra virgen, cubierto por enormes cantidades de animales salvajes llamados cimarrones, toros, vacas, caballos y ovejas, descendientes de los primeros ejemplares traídos por los españoles, que se multiplicaron asombrosamente. Según las cifras que cita Gonçalo Argote de Molina en el *Libro de la Montería* del rey Alfonso de Castilla, aparecido en el año 1582, fueron enviados a Sevilla anualmente más de doscientos mil cueros de animales sacrificados en las vaquerías.

El sacerdote jesuita inglés Thomas Falkner, que permaneció en la Argentina casi cuarenta años, desde 1731 hasta la expulsión de la Orden (1769), escribe lo siguiente: "En todas partes tienen grandes majadas de ovejas; y cuando yo recién llegué, era tanto el ganado vacuno que fuera de los rodeos de hacienda mansa en inmensa cantidad, alzado y sin dueño, se extendía por todos los llanos a una y otra parte de los ríos Paraná, Uruguay, y aun del mismo río de la Plata y poblaban todas las pampas de Buenos Aires, Mendoza, Santa Fe y Córdoba.

"Grandes eran las matanzas que se hacían sin que se aprovechase más que los cueros, la gordura y el sebo; pero la carne se tiraba al campo para que se pudriese. El consumo anual de ganado que se carneaba en esta forma, sólo en la jurisdicción de esta ciudad de Santa Fe, que no era más que una de tantas, no dejaba de alcanzar algunos cientos de miles.

"Hay también gran copia (cantidad) de caballos mansos, y un número increíble de baguales…Los caballos alzados no tienen dueño, y andan disparando en grandes manadas por aquellas vastas llanuras que delimitan, hacia el este con la provincia de Buenos Aires y el mar océano hasta llegar al río Colorado, y al oeste con las cordilleras de Chile y el primer desaguadero; al norte con las sierras de Córdoba, Yacanto y Rioja y al sur con los bosques que son los límites entre dos naciones de indios. En un viaje que hice al interior, continúa diciendo Falkner, el año 1744, hallándome en estas llanuras durante unas tres semanas, era su número tan excesivo que durante quince días me rodearon por completo. Algunas veces pasaron por donde yo estaba en grandes tropillas a todo escape durante dos o tres horas

La desjarretadera. Modo de
matar ganado en las pampas de
Buenos Aires. Fernando Brambila.
Grabado, Madrid, c. 1798.

DERECHA, ARRIBA: *Arado,
rastra y cosecha de cereales por los
indios mocobíes. Dentro del dibujo,
diversas notas referentes al tema.
Dibujo acuarelado de Florián
Paucke, c. 1750. (Abadía cisterciense
de Zwettl, Austria)*

DERECHA, ABAJO: *Encierro de
caballos cimarrones. Dentro del
dibujo dice: De este modo los indios
cazan con boleadoras los caballos
y los arrean a un corral disimulado
y oculto. Dibujo acuarelado de
Florián Paucke, c. 1750. (Abadía
cisterciense de Zwettl, Austria)*

sin cortarse; y durante todo este tiempo, a duras penas pudimos yo y los cuatro indios que entonces me acompañaban librarnos de que nos atropellasen e hiciesen mil pedazos".

En presencia de esta formidable fuente de riqueza que estaba al alcance de la mano de quien quisiera tomarla, los pobladores de las primeras villas y pueblos que se fueron estableciendo, solicitaron permisos de los Cabildos para realizar vaquerías, esto es, cacerías de animales salvajes cimarrones, principalmente vacunos. Grupos de hombres, llamados accioneros, armados con una larga asta que llevaba una media luna cortante en la punta, la desjarretadera, perseguían el ganado cimarrón hasta cortarle el jarrete de las patas. El animal caía pesadamente en tierra donde era rápidamente degollado por los peones de a pie con sus largos cuchillos que quitaban el cuero y el sebo del animal y comían la lengua dejando el resto de la carne a disposición de las aves de rapiña y de los perros salvajes que abundaban en el lugar.

Este modo primitivo de operar configuró, no obstante, la primera forma de ganadería organizada en las colonias españolas de América. Fueron muchas las voces que advirtieron el peligro que se corría con estos saqueos, verdaderas

depredaciones, que no tardaron en agotar la existencia de ganado. Los vaqueros de Santa Fe debieron pasar, en consecuencia, a Entre Ríos, y luego a la Banda Oriental del río Uruguay para continuar su negocio. Algunos de ellos se aventuraron a establecerse en el lugar. Sus habitaciones fueron naturalmente ranchos de adobe con techo de paja que poco a poco fueron afincándose en el territorio. Este fue el embrión de la estancia argentina y rioplatense.

Paralelamente con esta tarea de los hombres de campo, antes de que el paisano se llamara gaucho, los padres jesuitas incorporaron grandes cantidades de ganado a sus estancias con fines diferentes al de los simples vaqueros. Martín Dobrizhoffer en su *Historia de los Abipones*, dice que en Yapeyú los padres llegaron a reunir quinientas mil cabezas de ganado vacuno y en San Miguel aún más.

Las estancias jesuíticas fueron un modelo en la época. No se limitaron a la actividad ganadera. Iniciaron también la vida agrícola en el país sembrando y cosechando trigo y cebada en escala con la dimensión de sus estancias. Sus rendimientos eran destinados a mantener los centros de educación, universidades, colegios y demás establecimientos que fundaron. El peón de esas estancias era llamado camilucho, nombre que vino desde Roma donde se llamaba camilo al servidor de los conventos.

El dibujo del padre Paucke que se reproduce representa varias etapas de la arada y cosecha del trigo que son prácticamente las mismas que describe el ingeniero Narciso Parchappe en el año 1827 y las mismas que Prilidiano Pueyrredon representó en una acuarela realizada cerca de 1860.

En su relato el animoso jesuita dice al respecto: "Cuando el día es hermoso los indios atan en la tarde lo que ha sido cortado por la mañana y lo colocan en cueros vacunos. Veinte muchachos de a caballo lo arrastran hasta el lugar de la trilla donde forman una parva grande y alta que rodean con gruesos postes y cercan (corral de palo a pique). Entran en el cerco unos cuarenta o más equinos, generalmente yeguas. El cerco se cierra y los yeguarizos se arrean a azotes. Poco a poco cae todo de la parva grande bajo las patas de los caballos hasta que todo lo que es paja queda deshecho a pisotones y los granos han salido. Después de que el trigo ha sido limpiado de las cáscaras más gruesas, otros indios lo arrastran a otro cerco que está unido por un costado al primero. Los que están en este segundo corral limpian lo trillado echándolo al aire y lo colocan en bolsas de cuero fuertemente cosidas".

El otro dibujo del padre Paucke describe un curioso aspecto de la vida de la estancia jesuítica. Cuando la cosecha de cereales había terminado, Paucke acostumbraba conceder a los indios con sus caciques permiso para cazar caballos cimarrones en el campo por igual cantidad de días que aquellos en los que habían prestado servicios. Los indios lo preferían a cualquiera otra forma de pago. Según escribe el padre Paucke dentro del dibujo, los caballos cimarrones eran arreados por los indios para llevarlos hasta un corral disimulado en el bosque que les permitía encerrarlos fácilmente.

El final del siglo XVIII encontró a la ganadería colonial en un punto crítico. Como consecuencia de la expulsión de los jesuitas se multiplicaron las estancias en manos laicas. Félix de Azara dice que "Los pastores o poseedores de tropas de ganado, a quienes llama estancieros, están ocupados en guardar doce millones de vacas y tres de caballos, con una considerable cantidad de ovejas. Tal es según mi estimación la cantidad de ganado no salvaje de estas regiones. Al gobierno del Paraguay corresponde la sexta parte y al de Buenos Aires el resto. No comprendo en esta cantidad los dos millones de vacas salvajes o cimarronas que puede haber en el país, ni tampoco la innumerable cantidad de caballos salvajes que se encuentran".

Probablemente el observador más completo de la estancia en la primera mitad del siglo XIX fue el sabio francés Alcide D'Orbigny, joven naturalista que estuvo en la América Meridional entre los años 1826 y 1833 y escribió después una monumental obra que comprende nueve volúmenes con cuatrocientas diez ilustraciones de su viaje, hechas según dibujos de su mano.

En el tomo I de la *Parte Histórica,* D'Orbigny describe minuciosamente la estancia Rincón de Luna en la provincia de Corrientes, que visitó en el mes de junio de 1827 en compañía del ingeniero, también francés, Narciso Parchappe. La estancia ocupaba una lonja de tierra entre dos afluentes del río Batel. Tenía más de veinte leguas de largo por solo una de ancho. Había sido parte de un antiguo establecimiento jesuita. Tenía la casa del estanciero, varios puestos y una pequeña capilla. En los alrededores de Buenos

Aires, observa D'Orbigny, las estancias tienen a veces de treinta a cuarenta mil cabezas de ganado. La de Rincón de Luna tenía seis mil vacas, bueyes y toros, sin contar alrededor de doscientos caballos y de ochocientos a mil lanares.

La casa se componía de tres habitaciones; la primera servía de vivienda al estanciero; la segunda era la cocina, donde estaba el fogón y se alojaban los peones en invierno, pues en verano dormían bajo una inmensa ramada de troncos de palmera. El fogón fue después llamado también matera, palabra que no fue utilizada ni por D'Orbigny ni por Martín Fierro, pero que se difundió en el siglo xx hasta llegar a ser de uso común en la actualidad. En la tercera, continúa D'Orbigny, se almacenaban los cueros y el sebo. El marino inglés Emeric E. Vidal, que estuvo en el Río de la Plata entre 1816 y 1818, dice que algunas veces cada una de las tres habitaciones se construía por separado.

Cuando había árboles, agrega D'Orbigny, se construían alrededor de las casas inmensos corrales, lo más a menudo de forma redonda, hechos con estacas fijadas en la tierra, corrales de palo a pique. Los de Rincón de Luna eran dos, de troncos de palmera cortados por la mitad. Uno lo bastante grande como para encerrar la totalidad de los animales vacunos; el otro, todos los caballos del establecimiento. En algún otro corral se encerraban los corderos.

La descripción de la estancia de Rincón de Luna hecha por D'Orbigny parece haber sido utilizada por el litógrafo ginebrino César Hipólito Bacle para componer una interesante litografía coloreada incluida en el cuaderno 6º de la colección de *Trages y Costumbres de la Provincia de Buenos-Ayres* impresa en 1833. Todo puede verse tal como lo describe D'Orbigny: a la derecha, la casa del propietario; en el centro, el ganado disperso por el campo, los dos corrales de palo a pique, redondos, uno con los caballos, y el otro, con las vacas. Abajo, una escena de la hierra; a la derecha, se ve claramente en un caballo la marca de José Cernadas, registrada en Pergamino en el año 1822, agregada sin duda por Bacle.

El ingeniero Parchappe señaló que en Buenos Aires se rodeaban los corrales con fosos profundos para defenderse de los ataques de los indios. También se cavaba un foso cuadrado alrededor de la casa habitación y se utilizaban una o dos piezas de cañón que servían para alejarlos porque eran muy temerosos y no se acostumbraban a sus estampidos.

Próximo al foso que rodeaba las casas, dice Parchappe, en los lugares donde faltaba la madera, se construyeron corrales o potreros cerrados también por fosos en reemplazo del tradicional de palo a pique. Salvo estos detalles, la casa de los estancieros de la provincia de Buenos Aires era la misma utilizada en Corrientes y en otras partes del país, afirma el ingeniero Parchappe.

Las estancias estaban divididas en varios puestos entre los cuales se distribuían los animales cuando eran demasiado numerosos. Las yeguas sólo eran utilizadas para proveer los caballos necesarios para el uso del establecimiento. No se comerciaba con ellas. Cuando la cantidad era demasiado grande se las mataba para utilizar el cuero, finaliza diciendo D'Orbigny.

Los principales trabajos de la estancia fueron la doma, la hierra, el rodeo y las tareas agrícolas hacia el final del siglo xix. Es clásica la descripción de la doma escrita en 1833 por Charles Darwin, el famoso naturalista inglés mundialmente conocido:

"Una tarde el domador vino con el propósito de amansar algunos potros. Describiré los pasos previos porque creo que no han sido mencionados por otros viajeros," dice Darwin.

"Una tropilla de jóvenes caballos salvajes fue conducida a un corral o ancho cerramiento de palos. La tranquera había sido cerrada. Un solo hombre debía agarrar y montar un caballo que nunca ha sentido las riendas ni la montura. Pienso que salvo para un gaucho tal propósito debía ser verdaderamente impracticable. El gaucho elige un potro bien crecido y cuando el animal galopa dentro del corral, arroja el lazo para amarrarle las dos patas delanteras. Instantáneamente el caballo rueda con un choque pesado y mientras lucha en el suelo el gaucho, sosteniendo fuertemente el lazo, arma un círculo como para sujetar una de las patas traseras y la lleva hasta juntarla con las delanteras. Entonces ajusta el lazo de manera que ata las tres patas juntas. Se sienta sobre el pescuezo del caballo caído y le coloca una fuerte rienda sin bocado, atando la parte inferior de la mandíbula. Esto lo hace pasando un estrecho tiento sobre las argollas al final de las riendas y le da varias vueltas sujetando la mandíbula y la lengua. Las patas delanteras son atadas nuevamente juntas con una fuerte lonja de cuero ajustada por un nudo. El lazo que tenía las tres

Estancia en la provincia de Buenos Aires. Anónimo, litografía coloreada. Bacle y Ca, Buenos Aires, 1833. Colección privada.

patas atadas se afloja. El caballo maneado se levanta con dificultad.

"El gaucho lo conduce fuera del corral. Si un segundo hombre está presente (en caso contrario el trabajo es mucho más difícil) sostiene la cabeza del animal mientras el primero le coloca las mantas y la montura, atándolas fuertemente con una cincha. Durante esta operación, el caballo con el susto y el asombro de haber sido cinchado, se arroja al suelo una y otra vez, y aunque le pegan no quiere levantarse. Al final, cuando se ha terminado de ensillarlo, el pobre animal apenas puede respirar del susto y está blanco con la espuma y el sudor.

"El hombre ahora se prepara a montarlo. En el momento en que pasa su pierna sobre el lomo del animal, tira el nudo que sujeta las patas de adelante dejándolo libre

y le aplica fuertemente las espuelas para que el caballo no pierda el equilibrio. Algunos domadores desatan el nudo mientras el animal se encuentra en el suelo y parándose sobre la montura le permiten levantarse. El caballo salvaje asustado pega unos corcovos violentos y empieza a correr a todo galope. Cuando se encuentra realmente exhausto el hombre con paciencia lo lleva nuevamente al corral donde, prácticamente agotado, con apenas un hálito de vida, la pobre bestia es dejada libre. Los animales que no quieren galopar y obstinadamente se arrojan ellos mismos al suelo son los que dan más trabajo.

"Este proceso es tremendamente severo, pero en dos o tres intentos el caballo queda domesticado. No es sin embargo hasta después de varias semanas que el animal está listo para colocarle el freno de hierro porque debe

*La doma. Oleo de Juan Manuel
Blanes, c. 1865. Colección privada.*

aprender a asociar la voluntad del jinete y la presión de la rienda."

En el óleo que se reproduce, el pintor uruguayo Juan Manuel Blanes describe con vivacidad y realismo el momento culminante de la doma. La fuerza que emplea el domador y la expresión de su rostro son verdaderamente notables.

El rodeo, o sea, la reunión de ganado en un lugar elegido de los dilatados campos sin alambre, era esencial para el trabajo de los estancieros de la época. Consistía en llevar a los animales al sitio del campo donde tenían la querencia que se reconocía por la tierra rastrillada por las pisadas de los mismos animales en anteriores rodeos. Para ello se utilizaba el señuelo de ganado manso que guiaba a los cimarrones y a los alzados, o sea, a los mansos que se habían vuelto salvajes.

Una muy interesante y sugestiva pintura al óleo de Prilidiano Pueyrredon representa los detalles del rodeo en la inmensidad de la pampa sin límites. A la izquierda aparecen en primer plano las figuras del estanciero y del capataz que imparten sus instrucciones al peón de campo gaucho que está ajustando la cincha de su recado para partir a cumplir las órdenes recibidas.

Podía ocurrir que se mezclase la hacienda de un hacendado con la de otro. Pedía rodeo el que quería separar y recuperar su hacienda. Daba rodeo el que aceptaba el pedido. Pero también paraban rodeo los estancieros como medida previa de los otros trabajos de la estancia. Por ejemplo, la separación de hacienda sujeta a rodeo, como se decía de los animales mansos que lo hacían dócilmente, elegida a fin de sacrificarla para vender el sebo, la carne salada y el cuero.

El trabajo de reunir la hacienda se denominaba *volteada*, o sea, correr a caballo tras los animales dispersos para ponerlos en el lugar elegido, que ejecutaban los gauchos peones con admirable destreza. Según el ingeniero Carlos E. Pellegrini, la volteada se pagaba aparte.

En una memoria firmada por José M. Jurado, presidente de la Sociedad Rural Argentina, publicada en los *Anales* de la institución en el año 1875 se describen los aspectos principales de la vida en las estancias primitivas de Buenos Aires. Es un precioso documento cuya lectura no tiene desperdicio. Era esencial para hacer el rodeo,

dice Jurado, iniciar la junta de los animales utilizando un trozo de mansos, llamados señuelo (*ciñuelo* escribe el cronista). La memoria sigue explicando que si la operación estaba mal hecha o el señuelo no era eficaz se corría el riesgo de producir una dispersión de la hacienda. Afirma que muchas veces después de una volteada frustrada, o de una corrida mal hecha, el dueño de una estancia con quince o veinte mil cabezas de ganado se encontró de un día para el otro sin una vaca en su campo.

Nadie ha descripto la hierra con mayor precisión de detalles que el ya citado Alcide D'Orbigny cuando visitó la estancia Rincón de Luna. El estanciero había colocado un brete en forma de embudo hecho con estacas que permitía pasar de a uno a los animales. A medida que los vacunos salían del brete se separaban los que no estaban marcados. Los jinetes revoleaban lentamente sus lazos, armándolos antes de arrojarlos sobre los cuernos de los animales. Sujetaban entonces el caballo ofreciendo su flanco al toro, con el lazo tirante para soportar el terrible choque del animal que pretendía huir. Era el momento en el que los peones de a pie lo pialaban, enlazándolo por las patas delanteras hasta hacerlo caer, ayudados en este trabajo por otros peones que tiraban al animal de costado por la cola, derribándolo sin temor a las coces que propinaba desesperado. Algún otro se sentaba sobre la cabeza para mantenerlo inmóvil. Mientras que un gaucho con el fierro de la marca enrojecido lo aplicaba sea sobre el anca, sea sobre la mitad de las costillas o sobre el lomo, según la costumbre del propietario, en medio de los mugidos de dolor del animal.

La marca llevaba casi siempre la inicial del apellido del dueño, adornada con florones, para distinguirla de otras semejantes. Los hombres de campo, que conservaban en la memoria todos los signos componentes de las marcas de ganado, las reconocían a la distancia.

Los trabajos agrícolas en el tiempo de la estancia colonial fueron hechos por negros esclavos y en las jesuíticas por los indios, porque el gaucho, que nació y vivió a caballo, no era partidario de hacer trabajos a pie. No obstante, hubo gauchos en el siglo XIX que colaboraron en los trabajos de siembra y cosecha de cereales continuando una práctica de las estancias jesuíticas que ha sido descripta.

Los gauchos lo hicieron con la ayuda inevitable del

PÁGINAS SIGUIENTES: *El rodeo. Oleo de Prilidiano Pueyrredon, 1861. Museo Nacional de Bellas Artes, Buenos Aires.*

Tropa de carretas. Acuarela de Carlos E. Pellegrini, en Tableau Pittoresque de Buenos-Ayres, 1831. Colección privada.

El ingeniero Carlos E. Pellegrini en la *Revista del Plata* (1853), describe una máquina hidráulica rural, así la denomina, que fue fundamental para la vida de las estancias en la primera mitad del siglo XIX, especialmente para las más humildes y sufridas porque sirvió para proveerlas de la cantidad de agua vital para su subsistencia. Se trata del llamado *balde sin fondo*, invento de un español llamado Lanuze en 1823 que puede verse en un dibujo litografiado por el mismo Pellegrini en el que aparece el pozo y el caballo que tira el balde.

La trascendencia e importancia que tuvo la invención del balde sin fondo en la vida de la estancia argentina fueron destacados no sólo por Pellegrini sino por José M. Jurado en los *Anales* de la Sociedad Rural Argentina, año 1875. El balde sin fondo podía dar de beber a un rodeo de 2.000 cabezas de ganado durante un verano, dice finalmente Pellegrini.

El suministro de la sal, indispensable para el trabajo de los ganaderos y de los saladeros que se fueron multiplicando para hacer charqui y preparar los cueros para la exportación, se solucionó organizando anualmente grandes expediciones de cientos de carretas a las Salinas Grandes o a Patagones custodiadas por fuerzas militares de la frontera durante el trayecto. Cuando llegó a Buenos Aires en 1828 el ingeniero Pellegrini tuvo oportunidad de contemplar el espectáculo imponente de quinientas carretas alineadas en un solo lugar, preparadas para partir con otro destino, pero semejantes a las que se emplearon para el transporte de la sal. Un verdadero mar de vetustos vehículos de grandes ruedas, con seis bueyes por carreta, o sea, tres mil en total, y los gauchos que las conducían. Pellegrini dice que la carreta pintada con los colores nacionales que se ve en el primer plano del dibujo era la que pertenecía al capataz.

En 1840 don Luis Vernet, antiguo gobernador de las Malvinas, inventó un específico que tuvo gran éxito para evitar que los cueros se apollillasen, constituyendo un elemento indispensable para los ganaderos que pudieron conservarlos intactos hasta el momento del embarque. Pellegrini dice que debería llamarse *vernetizar* al procedimiento en homenaje a su inventor y no envenenar la cuerambre como se decía entonces.

Alrededor del año 1870 se desarrolló en gran escala la explotación agrícola del campo realizada por los chacareros inmigrantes europeos, italianos en primer término, que

caballo, mejor dicho de yeguas que en número de cien según Pellegrini, pisoteaban las espigas para separar el grano de la paja en el lugar llamado *era*. Según el ingeniero Parchappe la tarea se hacía generalmente en enero o febrero.

Otra actividad muy importante en las estancias primitivas fue la esquila de las ovejas, tarea realizada por mujeres y gauchos jóvenes. Tuvo gran desarrollo porque siguiendo el ejemplo de Juan Harrat, fundador en el año 1826 de la cría de Merinos en el Río de la Plata, según Pellegrini, las estancias albergaban enormes rebaños de ovejas. La venta de lana se constituyó en una de las principales actividades productivas.

Los dos elementos esenciales que sirvieron de base para la formación de las estancias en el siglo XVIII y la primera mitad del XIX fueron el agua y la sal. Las estancias que estaban situadas cerca de una fuente de agua permanente, un río, arroyo o laguna, no tenían problema. Pero en caso contrario la situación se tornaba angustiosa. Sólo se podía contar con la poca agua que se sacaba de los pozos con un balde de cuero, llamado *pelota*. El gaucho manejaba el balde con una soga atada a la cincha del recado, como lo observó Azara, pero el resultado era casi nulo.

Estancia de don Manuel Lynch en la provincia de Buenos Aires. Acuarela de Prilidiano Pueyrredon, 1870. Colección privada.

poblaron la tierra virgen en grandes extensiones. En el breve lapso que corrió desde 1870 hasta 1940 la población total del país pasó de ser ochocientos mil a trece millones de personas, hecho que contribuyó, en gran parte, a transformar la vida del campo. El inmigrante enriquecido y los que no consiguieron serlo pero lucharon arduamente para mejorar sus condiciones de vida con el auxilio de las maquinarias agrícolas más modernas y sofisticadas de la época, promovieron el progreso y la multiplicación de las estancias.

Pero el tiempo no pasó en vano. Las estancias fueron además agrandando sus instalaciones para alojar al gran número de gauchos sedentarios que se conchabaron. Más allá de D'Orbigny esta transformación de las estancias coloniales fue decisiva e importante. Cedieron el paso al nuevo concepto de estancia, manteniendo lo esencial sin modificaciones. El caso típico lo brinda el Rincón de López, en el río Salado, lugar ocupado inicialmente por los jesuitas, que instalaron la reducción de Nuestra Señora de la Concepción de las Pampas. Perteneció desde la década de 1760 a la familia de López de Osornio, antepasados de Juan Manuel de Rosas. El antiguo rancho colonial se transformó en una casa agradable. Los postes de la galería

fueron reemplazados por gruesas columnas redondas construidas con ladrillos. La casa siguió formada por un solo piso de habitaciones. En reemplazo del mangrullo se construyó un mirador, elemento indispensable en las estancias del Sur para descubrir con tiempo los movimientos de los indios. El estilo arquitectónico dejó de ser colonial. Fue simplemente criollo. Sus virtudes llamaron la atención del célebre arquitecto y urbanista francés Le Corbusier cuando estuvo en Buenos Aires en 1929.

Otros estancieros resolvieron el problema construyendo casas de recreo o chalets del tipo de los que entonces se construían en Mar del Plata. Un lujo trajo otro lujo. Un tercer tipo de construcción integró la evolución arquitectónica. Tentados por las grandes fortunas que comenzaron a valer sus campos y las grandes sumas de dinero que producían, un grupo importante de estancieros construyó grandes casas, verdaderos palacios rurales de inspiración europea, que lucen todavía hoy la belleza de sus líneas sin alterar su vieja tradición criolla.

El primero en hacerlo fue el general Justo José de Urquiza, poco antes de ser Presidente de la Nación. Levantó en su estancia San José, cerca de Concepción del Uruguay, provincia de Entre Ríos, un gran palacio convertido hoy

Gaucho con su caballo. Oleo de Raymond Quinsac Monvoisin, 1842. Colección privada.

en museo histórico. Obra sucesiva de los arquitectos italianos Jacinto Dellepiane y Pedro Fossati, la construcción comenzó en el año 1848. El capitán norteamericano Thomas J. Page que visitó el lugar en 1853 dice que la enorme llanura ondulada que rodeaba la casa con sus dos grandes torres, albergaba no menos de 70.000 ovejas, 40.000 cabezas de ganado vacuno y 2.000 caballos. La vista aérea de la casa y de las plantaciones que la rodean fue litografiada en París por Lemercier, según dibujo de Arnoult, aparecida en el libro del barón belga Alfred M. Du Graty sobre la Confederación Argentina (1858). (ver página 9)

El estanciero argentino cumplió, pues, su misión como productor y como difusor de la civilización y la cultura. Pero no quedaría completa esta introducción sin una breve referencia al gaucho peón de campo que fue servidor y amigo de su patrón, y trabajó incansablemente en las tareas de formación y desarrollo de las estancias. También al gaucho nómade, que amaba su libertad y vagaba por los campos, pero prestaba señalados servicios, entre otros como baqueano, a los viajeros que se aventuraban a cruzar la inmensidad del territorio. Este gaucho no dejó de concurrir, vestido con su mejor traje y montado en su mejor caballo, a las grandes reuniones campestres, la doma, el rodeo y la hierra, para lucir sus habilidades con el lazo y las bolas como lo recuerda Sarmiento en una página imborrable del *Facundo*.

En el año 1842 el pintor francés Raymond Quinsac Monvoisin, sin duda el más importante artista que haya estado en la Argentina en el siglo XIX, realizó este magnífico retrato de tamaño natural del gaucho peón de estancia, que resume y lo dice todo. Es una de sus grandes obras maestras. El rostro del gaucho, con un aire ligeramente morisco, tiene una notable firmeza de expresión. Lleva el típico sombrero de cono truncado y un gran pañuelo serenero amarillo anudado bajo el mentón. Ostenta un amplio poncho patria, listado rojo y azul, del que asoman las mangas blancas de la camisa, el chiripá recogido y calzoncillos con largos flecos. Usa botas de potro despuntadas. En la mano derecha, el rebenque porteño de cuero de cabo corto y en la izquierda, las riendas con que tiene al caballo, alazán oscuro, que lleva una testera federal con abundantes borlas de color rojo y la cola atada con doble nudo. El caballo envuelve al gaucho como si quisiese protegerlo abrazándolo.

Esta sucinta historia define el contenido espiritual del alma de las estancias argentinas, porque cada una vive y tiene su alma. Con esta convicción han sido resumidos los aspectos esenciales de la vida del campo desde el tiempo remoto de las vaquerías hasta los días de esplendor de la ganadería y la agricultura como fuentes de riqueza material y moral en el país.

Bonifacio del Carril
de la Academia Nacional de la Historia y
de la Academia Nacional de Bellas Artes

Santa Catalina

Vista general de la iglesia y antiguo convento de la estancia Santa Catalina. Dibujo a pluma de Juan Kronfuss, 1920. Museo Histórico Nacional, Buenos Aires.

PÁGINA DERECHA: *Desde los techos de la iglesia, una vista parcial del Patio de Honor y del paisaje de sierras. Santa Catalina se encuentra alejada de la población, en una fracción de campo de setecientas hectáreas.*

Interior de la iglesia. El altar es de algarrobo dorado y está presidido por Santa Catalina. Todos los elementos de culto son los originales.

PÁGINA IZQUIERDA: *Frente de la iglesia jesuítica de la estancia Santa Catalina, construida a mediados del siglo XVIII. Los elementos de barroco germánico en la fachada han hecho pensar que su arquitecto fue un padre alemán, Antonio Harls.*

EN LA PROVINCIA DE CÓRDOBA, al noroeste de la ciudad capital, se extiende un laberinto de valles pintorescos y agrestes. En uno de ellos, a pocos kilómetros del pueblo de Jesús María, el viajero que suba y baje las pendientes de un sinuoso camino de tierra, entre árboles añosos, un aire de celebrada pureza, sierras en el horizonte y un cielo casi siempre muy azul, se verá sorprendido por la aparición del imponente conjunto de Santa Catalina: una iglesia colonial y una casa anexa de vastas proporciones. Fue obra, una de las más importantes y seguramente la mejor conservada, de la Compañía de Jesús, y formó parte de la acción civilizadora que desarrollaron los jesuitas en los siglos XVII y XVIII en tierras americanas. Santa Catalina fue base de una estancia de sesenta leguas de campo que los padres trabajaron para solventar los gastos de mantenimiento de sus universidades y colegios. Con este objeto la Compañía fundó en Córdoba varias estancias, entre ellas Caroya, Jesús María y Alta Gracia. Los jesuitas fueron quizás los mayores terratenientes del virreinato; su presencia ha dejado huellas inconfundibles a lo largo de los grandes ríos que bajan al Plata desde el Paraguay y también en el Alto Perú, Cuyo, y muy especialmente en Córdoba, donde llegaron en 1586, trece años después de la fundación de la ciudad. En 1622 compraron las tierras de Santa Catalina al herrero Luis Frasson, las poblaron con abundante ganado y dieron inicio al aleccionamiento de los indios en tareas agrícolas y oficios diversos. A juzgar por las mejoras realizadas, la estancia fue explotada

Una ventana colonial de la casa. Santa Catalina fue una de las obras arquitectónicas más importantes que realizó la Compañía de Jesús durante su permanencia en el virreinato.

PÁGINA DERECHA: *El púlpito, un confesionario y el balcón desde donde presenciaban misa los padres jesuitas.*

con eficacia desde el comienzo: se sabe que, en 1656, los jesuitas construyeron un acueducto de piedra subterráneo para traer agua desde las alejadas sierras de Ongamira hasta un tajamar cercano a las primeras construcciones. Un inventario de 1760 menciona cuatrocientos seis esclavos, doce mil vacunos, seis mil ovinos e igual número de mulas, además de telares y molinos.

Hacia esta época, mediados del siglo XVIII, se inició la construcción de la iglesia. No hay certeza sobre la identidad del arquitecto que la proyectó, pero se la atribuye al padre Antonio Harls, nacido en Baviera, lo que explicaría los elementos de barroco germánico del edificio. Los claustros y edificios anexos se levantaron poco después.

La fachada del templo es notablemente sobria y armoniosa. El interior tiene una nave única, donde asistían a los oficios indios y esclavos, con dos balcones altos para los padres. El altar mayor es de algarrobo dorado, de excelente talla, y lo preside la figura de Santa Catalina. A un costado de la iglesia está el cementerio, con un soberbio portal; en él está la tumba de Doménico Zipoli, músico italiano de excepcional importancia en el siglo XVIII, que compuso en tierra americana gran parte de su obra.

El conjunto se completa con tres patios rodeados de cuartos; al principal daban los salones de recibo y los dormitorios de los padres; al segundo, los talleres y habitaciones de peones y artesanos; y en el último patio estaban las caballerizas.

Cinco años después de la expulsión de los jesuitas, que se llevó a cabo en 1769, la Junta de Temporalidades que administraba las propiedades de la Compañía de Jesús vendió Santa Catalina con todo su contenido a don Francisco Antonio Díaz, alcalde de primer voto de la ciudad de Córdoba. Díaz se comprometió, en la escritura de compra, a mantener la iglesia "con la correspondiente desenzia,

Uno de los corredores que rodean el patio principal. Aquí, antiguamente, confluían los salones de recibo y los dormitorios de los jesuitas.

IZQUIERDA: *Pórtico de acceso al antiguo Patio de Honor, donde confluyen los cuartos de los descendientes de Francisco Antonio Díaz, que adquirió la estancia en 1774.*

El noviciado, construcción apartada del conjunto, donde se alojaban los novicios de la Compañía de Jesús durante el verano. El resto del año servía de dormitorio para las esclavas solteras de la estancia.

PÁGINA DERECHA: *Galería del noviciado.*

haziendo a su costo todos los gastos de cera, vino, y demás que sean nezesarios para el mejor culto de ella…"

El hijo de Francisco Antonio, José Javier Díaz, fue dos veces gobernador de Córdoba. Hubo otros miembros de la familia que fueron también gobernadores, ministros, jueces, senadores y diputados, al punto de haberse hablado de un "Clan de Santa Catalina", de influencia en la política provincial y nacional.

El tiempo y las subdivisiones hereditarias cambiaron el mapa de Santa Catalina, pero la iglesia se ha mantenido sin alteraciones ni modificaciones, con algunos de sus tesoros artísticos originales (otros fueron robados durante las guerras civiles de la primera mitad del siglo pasado). Esta conservación, excepcional en el país, fue posible gracias a que la familia que ha sido su propietaria ininterrumpida durante más de doscientos años ha venido cumpliendo el compromiso hecho al comprarla.

Actualmente la estancia abarca una extensión de setecientas hectáreas. Las estancias vecinas, fracciones de la Santa Catalina original, son también propiedad de descendientes de Francisco Antonio Díaz.

La Paz

El Presidente de la Nación, Julio A. Roca, con sus hijas y un grupo de amigos, frente a la casa principal de La Paz a comienzos de siglo. Colección privada.

PÁGINA DERECHA: *Tipas y copones de piedra bordeando el lago en el camino de acceso a la casa. El parque fue diseñado por el paisajista francés Charles Thays, hacia 1903.*

EN LAS SERRANÍAS de Ascochinga, cincuenta kilómetros al norte de la ciudad de Córdoba, se encuentra esta estancia de idílicos paisajes. Como sucede con otros establecimientos de la zona, La Paz formó parte de la vasta estancia jesuítica de Santa Catalina, de sesenta leguas cuadradas de extensión, que fue comprada por Francisco Antonio Díaz tras la expulsión de la Compañía de Jesús. Al cabo de sucesivas divisiones hereditarias, esta porción fue propiedad de Tomás Funes, cuya esposa era nieta de Díaz. Funes tuvo actuación política en la provincia de Córdoba; entusiasmado por la noticia de la firma del pacto de San José de Flores, que instauró la paz de la República el 11 de noviembre de 1859, decidió rebautizar su dominio, que él había recibido con el nombre de Corral de Piedra, por el de La Paz

Las dos hijas de Tomás Funes se casaron con futuros presidentes de la Nación: Elisa con el cordobés Miguel Juárez Celman, Clara con el tucumano Julio Argentino Roca; las dos bodas tuvieron lugar en el año 1872. Clara heredó La Paz, y el matrimonio con sus hijos pasó muchos veranos allí.

En 1877, después de la muerte de Adolfo Alsina, ministro de Guerra y Marina, el presidente Nicolás Avellaneda nombró en su reemplazo a Roca; dos años después el nuevo ministro dirigía con éxito la llamada Campaña del Desierto, que disipó la amenaza del indio y habilitó varios millones de hectáreas de tierras fértiles para su explotación. Roca fue elegido en 1880 presidente de la República por primera vez, y volvió a ocupar el cargo en 1898; fue el único presidente argentino elegido dos veces que haya terminado el período correspondiente a la segunda elección.

Sus veraneos en La Paz eran asediados por políticos y aspirantes de toda especie; cuando se cansó de darles alojamiento, le sugirió a su amigo Alejandro Argüello que transformara en hotel su bella casa en Ascochinga, a una legua del establecimiento.

Clara Funes murió en 1890 y su marido heredó La Paz. Roca la usó como residencia de descanso, y dedicó sus esfuerzos de hacendado no sólo a ella sino a dos estancias más en la provincia de Buenos Aires, La Larga y La Argentina. Se decía que los nombres de sus tres propiedades rurales enunciaban un anhelo de su generación: la "larga paz argentina".

La casa principal conserva partes del edificio original de principios del siglo pasado, con paredes de adobe de hasta ochenta centímetros de espesor. Roca la modernizó en la década de 1890, y hacia 1903 hizo diseñar el parque por el paisajista francés Charles Thays. Hoy pueden apreciarse, alrededor de un gran lago, armoniosos grupos de álamos carolina, tipas, plátanos, robles y eucaliptos centenarios.

A unos cien metros de la casa había un elegante salón de madera que el Presidente mandó hacer para las reuniones sociales de sus cinco hijas, parientes y amigos. La escalera de entrada desembocaba en un balcón que rodeaba todo el interior, provisto de sillones y un piano de cola, a cuya música se cantaba y bailaban los valses, cuadrillas y mazurcas de moda entonces.

Datan de la época de los jesuitas diez mil metros de acequias, usadas para dar de beber a la hacienda, actualmente reemplazadas en esa función por molinos. Existen, y se conservan con especial cuidado, piedras que fueron socavadas por los indios con rústicos instrumentos, dándoles la forma de ollas cóncavas donde con un mortero de madera dura pisaban maíz, su alimento principal.

Un barranco de más de veinte metros de altura sobre un río dentro de la propiedad, inspiró el cuento *El salto de Ascochinga,* de Lucio V. López: "El cuatrero Peralta, rodeado por la milicia que lo perseguía, cubrió la cabeza de su caballo con el poncho, clavó las espuelas en los ijares y lo lanzó al abismo cayendo el animal destrozado en el remanso del río. El jinete, ileso, se escurría entre las breñas como un lagarto, golpeándose la boca y burlándose de la partida atónita."

La serenidad del atardecer cordobés sobre el lago y la casa de La Paz, residencia de verano del presidente Roca, que la modernizó hacia 1890.

San Miguel

Vista del parque y del paisaje de sierras. Los jardines de San Miguel están regados por antiguas acequias jesuíticas.

PÁGINA DERECHA: *Un ala de la casa, donde se encuentra el dormitorio principal. La estancia está ubicada en el aislado y solitario valle de San Miguel.*

*Un detalle de las rústicas puertas
de San Miguel.*

DERECHA: *La casa de San Miguel
ocupa el sitio de un antiguo puesto
jesuítico. Fue construida con piedras
grises y rosas extraídas del río de
la estancia.*

EN EL AISLADO valle de San Miguel, al norte de la
provincia de Córdoba, se encuentra esta estancia,
que fue en el siglo XVIII un puesto de la vasta propiedad jesuítica de Santa Catalina. Fueron los jesuitas
quienes le dieron su nombre a la estancia y al río vecino.
Bajo su dirección, los indios levantaron muchos kilómetros
de pircas que todavía pueden verse serpenteando en las
sierras; también construyeron el sistema de acequias y
corrales de piedra, uno de los cuales aún subsiste a metros
de la casa principal y sigue siendo usado para trabajos con
la hacienda que pastorea en las cuatro mil hectáreas de
San Miguel. Durante gran parte del siglo pasado sus dueños
fueron ingleses, el último de los cuales, el matrimonio
Schiele, la vendió en 1925 a través de su administrador
Hugo Backhouse a Miguel Angel Cárcano y su esposa Stella
de Morra. En un simpático libro de memorias llamado
Among the Gauchos, Backhouse relata su vida en San Miguel
a comienzos de siglo: "La casa, construida por los jesuitas
hace muchos años, era de adobe… Desde ella uno podía
admirar el jardín, que se extendía en suaves laderas. Atrás
de la casa había pinos, y tras ellos se alzaban las sierras. Una
ubicación maravillosa, y aunque viví muchos años allí
nunca me cansé de admirar la belleza de este sitio."

Una fotografía informal en San Miguel del Príncipe de Gales, el príncipe Jorge (más tarde Duque de Kent), María Teresa Bosch Alvear de Dodero y Stella de Morra de Cárcano. Marzo de 1931. Colección privada.

Jacqueline Bouvier Kennedy durante unos días de descanso en la estancia San Miguel. Abril de 1966. Colección privada.

IZQUIERDA: *La biblioteca de San Miguel es rica en libros de Historia, y contiene una importante hemeroteca del siglo XIX. El entelado del techo tiene un diseño de Philippe de Lascelle. A los costados de la puerta de entrada, dos trompetas ceremoniales hindúes, regalo del primer ministro Nehru a Miguel Angel Cárcano.*

Backhouse habitó la vieja casa, cuyos rasgos primitivos "iban bien con la vastedad del campo que la rodeaba, de hasta dos mil metros de altura en parte, con sus cimas pastosas, profundos barrancos y arroyos innumerables que corrían hacia los ríos allá abajo, ricos en truchas. El ganado y los caballos pastaban en los sitios más inesperados, y yo me preguntaba al verlos cómo habían logrado trepar, y cómo se las arreglarían para bajar".

Los Cárcano veraneaban en La Cumbre y, haciendo paseos a caballo por las sierras, quedaron impresionados por la belleza del paisaje de San Miguel. Durante las recorridas que hicieron por la propiedad con Backhouse llegaron a la decisión de que querían comprarla, y así se hizo.

Miguel Angel Cárcano pertenecía a una prominente familia de Córdoba; su padre, Ramón J. Cárcano, fue dos veces gobernador de la provincia. Stella de Morra era bisnieta de Justo José de Urquiza, primer presidente constitucional del país. De ella dijo Cecil Beaton: "Stella tuvo una vida maravillosa, llena de aventura y experiencia. Nacida en una importante y rica familia argentina, gozó los éxitos, tan merecidos, de su encantador y brillante marido. Aparte de todo lo demás, tuvieron el don de la amistad, y son queridos por muchos amigos de todo el mundo." Los éxitos de Miguel Angel Cárcano a los que se refiere Beaton se dieron en la diplomacia, la política y la historiografía. Fue embajador argentino en Londres durante la Segunda Guerra Mundial, dos veces ministro, de Relaciones Exteriores y de Agricultura. Al igual que su padre, fue presidente de la Academia Nacional de la Historia. Tuvo tres hijos: Stella Cárcano, vizcondesa de Ednam, Ana Inés Cárcano de Astor y Miguel Angel "Michael" Cárcano. Michael solía recordar su primera llegada, de niño, a San Miguel, sin caminos entonces: lo hizo a lomo de mula, con su madre y una gobernanta escocesa.

Poco después de comprar la propiedad, los Cárcano construyeron caminos y levantaron la casa, en el mismo sitio donde estaba la anterior, con piedras extraídas del río San Miguel y picadas a mano. Se plantaron árboles y flores, siempre con la idea de no alterar el paisaje agreste y algo salvaje. A esta casa volvería el matrimonio de sus viajes, y recibiría a su familia y amigos, entre los que se contaron en 1931 el Príncipe de Gales acompañado por el príncipe Jorge (luego Duque de Kent), que calificaron a San Miguel

Desde otra de las bibliotecas de la casa, una vista del living y el comedor.

IZQUIERDA: *El comedor fue hecho a medida de la boiserie georgiana de pino, comprada por los Cárcano en Londres durante la Segunda Guerra Mundial. Las puertas de algarrobo son jesuíticas del siglo XVIII.*

Un descanso en el corral de pirca cercano a la casa. De izq. a der. don Manuel Avanza, Osvaldo Moyano, Carlos María Cárcano y Héctor Guzmán.

PÁGINA IZQUIERDA: *El "living de piedra". Sobre la chimenea, cuadros franceses del siglo XVIII; en la mesita lateral, un retrato infantil de Miguel Cárcano III realizado por su tía Chiquita Astor.*

como *haven of rest;* John Kennedy en 1941, y años después su viuda Jacqueline con sus dos hijos. Cecil Beaton, que los visitó en 1971, dejó un detallado relato en sus memorias tituladas *The Parting Years.* Ponderó tanto el paisaje como la casa, y su cuarto favorito fue la biblioteca, que conserva una colección de los primeros diarios publicados en el país y espléndidas ediciones encuadernadas. La combinación de lo culto y lo silvestre ha sido siempre la característica más notable de San Miguel.

Los actuales propietarios, Miguel y Carlos María Cárcano, hijos de Michael y Teresa de Estrada, continúan la tradición de hospitalidad y apego a la tierra heredada de sus mayores.

Uno de los saltos del río San Miguel, que se encuentra dentro de la propiedad, forma una pileta natural llamada La Taza, rincón típicamente cordobés.

El parque de la estancia se extiende en el valle sin alterar su atmósfera agreste. En primer plano, y a lo lejos, las pircas levantadas por los indios en el siglo XVIII bajo la dirección de los jesuitas.

Los Alamos

Una Virgen en una hornacina transfigura el patio donde, según la tradición oral, fue ahorcado un cacique indio tras un malón en 1838.

PÁGINA DERECHA: *La casa de Los Alamos fue construida en 1830 como fuerte de avanzada contra los indios. Un foso defensivo la rodeaba y fuertes rejas de hierro, que aún subsisten, protegían sus ventanas.*

Frente de la casa principal con árboles plantados muy cerca para amortiguar los calores del verano mendocino. La verja de entrada reemplaza el antiguo portón de madera que al cerrarse permitía resistir los ataques de los indios.

DERECHA: *Una hamaca paraguaya en el patio. Acogedor refugio para las siestas cuyanas.*

LOS ÁLAMOS, propiedad de la familia Aldao Bombal, se halla muy cerca de la ciudad de San Rafael, a unos doscientos kilómetros al sur de la capital de Mendoza. Hacia 1760 se radicó en esta provincia Juan Bombal, hijo de un oficial del ejército francés que había llegado al país a principios de ese siglo. Un nieto suyo, Domingo Bombal Ugarte, casado con Nemesia Videla, de vieja familia mendocina, fue ciudadano prominente y gran hacendado. En 1866 compró a seis leguas de San Rafael la finca llamada Los Alamos.

La casona había sido construida como fuerte de frontera hacia 1830, con gruesas paredes de adobe, patio interno, ventanas con rejas de hierro forjado a mano y foso defensivo para protegerla de los malones. En el curso del siglo la estancia había resistido dos invasiones de indios, con rapto de mujeres y robo de ganado. Según tradición oral, un cacique indio fue ahorcado como represalia en el patio principal de la casa. Uno de esos ataques, en 1838, que abarcó toda la zona, fue registrado en varios dibujos y óleos por el pintor alemán Johann Moritz Rugendas, de paso por la provincia.

Los Alamos se sumó a las grandes extensiones de tierra que Domingo Bombal ya poseía en la provincia. Dispuso cuatro postas para abreviar el viaje entre la finca y la capital mendocina, pero aun así sus ocupaciones políticas le hicieron descuidar Los Alamos. Fue gobernador

En el "cuarto de los espejos", antiguos grabados de damas vestidas a
la usanza de la época. La escritora
Susana Bombal fue quien decoró Los
Alamos y le dio su carácter actual.

IZQUIERDA: En un rincón de la
casa, plantas, vasijas de barro
y una escalera de caracol de hierro
evocan una atmósfera sencilla y
natural.

Rapto de una cautiva durante un malón de indios pehuenches en la zona de San Rafael que incluyó a la estancia Los Alamos. Dibujo de Johann Moritz Rugendas, diciembre de 1838. Colección privada.

interino de Mendoza en diversas oportunidades, y lo absorbió el trabajo de reconstrucción de la ciudad arrasada por el sismo de 1861, donde perdió a su mujer y tres de sus hijos. De ahí que quien desarrolló la estancia fuera su hijo menor Domingo Evaristo Bombal Videla, que hizo de Los Alamos su hogar; plantó vides y crió ganado para comercializar en Chile y Mendoza.

A principios de este siglo, al unirse Mendoza con Buenos Aires por vías férreas, la economía de la provincia dio un vuelco: la ganadería fue suplantada en gran parte por la producción frutícola, que podía enviarse fresca a la Capital Federal. Y, sobre todo, el mercado porteño se abrió a los vinos mendocinos y sanjuaninos a partir del cierre de importaciones europeas durante la Primera Guerra Mundial.

Domingo Evaristo Bombal no alcanzó a aprovechar estos cambios en razón de su muerte prematura en Los Alamos en 1908. Su esposa, Susana Hughes, y sus tres hijas,

se radicaron en la ciudad de Buenos Aires, y las tierras fueron arrendadas. La casa quedó deshabitada durante veinte años, hasta que una de las hijas, Susana Bombal, prestigiosa escritora, volvió a Los Alamos y emprendió su restauración. Fue ella quien le dio su carácter actual, sin modificar los rasgos originales. Es una típica casa criolla, de las pocas que quedan en la provincia, y una de las más viejas, sobreviviente a todos los terremotos. Susana Bombal hizo de ella un refugio de escritores y artistas, entre los que se contaron Jorge Luis Borges, Manuel Mujica Lainez y Richard Llewellyn.

La estancia actualmente pertenece a los sobrinos de Susana Bombal. En sus cinco mil hectáreas se hacen cultivos intensivos de frutales y de uva con la que se produce vino, que se exporta principalmente a Bélgica y Holanda.

IZQUIERDA: El "cuarto de vidrio" es el ambiente más vivido de la casa. Sobre la chimenea, utensilios de cobre y las antiguas marcas de hacienda de la estancia.

Susana Bombal hizo de Los Alamos
un refugio de escritores y artistas;
instaló su estudio en el cuarto más
antiguo de la casa, donde escribió
gran parte de sus obras. El piso de
este ambiente fue hecho con troncos
de árboles frutales de la estancia; en
el techo, fajas hechas por los indios
araucanos.

DERECHA: En el comedor con
piso de piedra y gruesas paredes de
adobe, sillas portuguesas, una
antigua balanza transformada en
araña, y la chimenea, muy usada
en los fríos inviernos.

El Churqui

Llamas en el paisaje solitario y silencioso de El Churqui. La estancia abarca una extensión de diecisiete mil hectáreas desde 1776, año en que fue fundada por don Clemente de Zavaleta.

PÁGINA DERECHA: *El dormitorio principal de la casa visto desde la galería. Sostenida por cañas, la paja del techo asoma por los aleros.*

Construida con gruesos muros de adobe, la casa está emplazada en lo alto de una loma y domina el valle. El Churqui es una de las estancias más tradicionales de la provincia de Tucumán.

PÁGINA IZQUIERDA: *La casa de El Churqui, ocupada desde hace dos siglos por la familia Zavaleta, en el imponente marco precordillerano del valle de Tafí.*

E L CHURQUI, estancia tucumana de la familia Zavaleta, sigue desde hace doscientos dieciocho años con la misma extensión que tenía al principio, diecisiete mil hectáreas, y en manos de descendientes directos del fundador, don Clemente de Zavaleta. El nombre de la finca, que suena muy tucumano, es el de un árbol espinoso que nadie ha visto en la zona; seguramente hubo uno allí, uno solo, y su extrañeza justificó el bautismo.

La estancia ocupa buena parte del valle de Tafí, al occidente de la provincia; la altura promedio es de dos mil metros sobre el nivel del mar, y hasta de tres mil en el Abra del Infiernillo, uno de sus límites. En este valle floreció, mil años antes del descubrimiento de América, la llamada "cultura Tafí", agrícola y alfarera. De los restos arqueológicos que se han encontrado, los más interesantes son unos menhires de piedra tallada, probablemente objetos de culto. Se han hallado también indicios de sistemas de riego y de cultivos en terrazas, necesarios pues el clima es semiárido.

El origen de la propiedad se remonta al año 1617, cuando el encomendero don Melián de Leguizamo y

Los famosos quesos Tafí se fabrican en la estancia desde hace más de doscientos cincuenta años. Contra el techo de este rústico ambiente, un dispositivo de caña usado como secadero.

DERECHA: *Desde el Abra del Infiernillo, a tres mil metros de altura sobre el nivel del mar, se baja a El Churqui a través de las nubes. En primer plano, restos de habitaciones circulares de los primitivos pobladores indígenas de la región.*

Guevara recibe por merced real las tierras del valle de Tafí. Un siglo después, en 1718, son adquiridas por la Compañía de Jesús, que establece una misión productiva, edifica una capilla y un molino harinero que aún existe. La relación de los padres con los indios calchaquíes era cordial, no así con los bravos quilmes, que hacían periódicos ataques desde el norte.

Tras la expulsión de los jesuitas ordenada por el rey Carlos III en 1767, el valle se divide en varias estancias que son puestas en venta. En 1776 Clemente de Zavaleta, hijo de español, compra una fracción con una hipoteca de seiscientos pesos que le concede el Convento de la Reducción de San Miguel. Funda allí El Churqui. Poco después edifica la casa, que subsiste hasta hoy, con sus gruesos muros de adobe y techos de paja y caña que han soportado airosamente el paso del tiempo. Rodeada de una exuberante vegetación, la casa se recorta sobre un fondo de imponentes montañas.

Clemente de Zavaleta era presidente del Cabildo tucumano en 1810, cuando la autoridad revolucionaria de Buenos Aires le mandó establecer una fábrica de fusiles en la ciudad de Tucumán. En 1812 fue nombrado primer gobernador patriota de la provincia, cargo que volvería a ocupar diez años después. En El Churqui realizó una intensa explotación ganadera y crió mulas que vendía en Bolivia.

Hasta 1943 el valle no tuvo caminos practicables, y el único modo de llegar a la estancia era a caballo o en mula. Los actuales dueños recuerdan haber hecho durante su infancia el viaje desde la capital provincial en quince horas a caballo, si iban hombres solos; si se movilizaba la familia entera, el trayecto duraba dos días, pasando la noche en las montañas.

La explotación sigue siendo ganadera, y se cultiva papa para semilla. Desde hace más de doscientos cincuenta años El Churqui viene fabricando el tradicional queso Tafí, cuya producción iniciaron los jesuitas, y es afamado en todo el país. Clemente Zavaleta y su esposa Sonia Terán Nougués son los actuales propietarios de la estancia, donde viven todo el año. Clemente introdujo la práctica del polo en el lugar, y sus siete hijos varones, séptima generación de la familia en El Churqui, se han destacado en ese deporte.

Molinos

La casa de La Angostura, construida a principios del siglo XIX, formó parte de la vasta propiedad de Molinos.

PÁGINA DERECHA: *Antiguo Patio de Honor de la casona de los Isasmendi, rodeado de largos corredores con columnas de madera de algarrobo y un aguaribay en el centro.*

El interior de la iglesia se caracteriza por su sencillez. Allí se conserva la momia de Nicolás Severo de Isasmendi, antiguo propietario de la hacienda.

PÁGINA IZQUIERDA: En la soledad de los valles calchaquíes aparece la iglesia de San Pedro Nolasco de los Molinos, de arquitectura típicamente cuzqueña. Fue levantada hacia 1720 frente a la casa patronal.

A POCO MÁS DE DOSCIENTOS kilómetros de la capital salteña, en el corazón de los valles calchaquíes y sobre el viejo camino que iba de Salta a Chile, se encuentra el pequeño y pintoresco pueblo de Molinos, de casas bajas y calles de tierra. Está ubicado cerca del río Calchaquí, frente a la confluencia de tres afluentes de éste: el Luracatao, el Amaicha y el Molinos. El verde fértil de esta parte del valle, cuya altura es de dos mil metros sobre el nivel del mar, contrasta con la aridez de las sierras y montañas circundantes, que alcanzan los cuatro mil metros.

Las estancias que actualmente rodean este poblado formaron parte de lo que fue la vasta hacienda de Molinos, propiedad del vasco Domingo de Isasi Isasmendi, y se desarrollaron en torno a la casa e iglesia construidas por él y su esposa hacia 1720.

El origen de Molinos se remonta al año 1659, cuando el capitán Diego Diez Gómez recibió en merced del Rey de España la encomienda de San Pedro Nolasco de los Molinos en reconocimiento a sus luchas contra los indios calchaquíes. A la muerte de Diez Gómez, la hacienda pasó por herencia a su hija Magdalena, casada con Isasi Isasmendi, que llegó a ser gobernador de Salta a mediados del siglo XVIII. Para entonces la hacienda era la más productiva de la región, y contribuía al abasto de la ciudad

En La Angostura, peones trabajando
con ganado en corrales de adobe
típicos del noroeste argentino.

PÁGINA IZQUIERDA: *Bajo el
cielo diáfano de los valles, se pone
a secar el pimentón que se cosecha
en el mes de marzo.*

PÁGINAS ANTERIORES:
*Amanecer en la antigua hacienda de
Molinos. La casa patronal, ubicada
frente a la iglesia, fue levantada
hacia 1720 por don Domingo de Isasi
Isasmendi y su esposa doña
Magdalena Diez Gómez. Durante
la Revolución de Mayo de 1810,
la casa se convirtió en el cuartel de
los leales al Rey de España.*

de Salta. El feudo abarcaba las fincas de Tacuil, Amaicha, Luracatao, Colomé y La Angostura, entre otras. Unida esta prosperidad a su ubicación estratégica respecto de los pasos cordilleranos del norte, Molinos era ya el centro político-económico de los valles calchaquíes.

Magdalena Diez Gómez murió sin hijos. Don Domingo, viudo, se casó con doña Josefa de Echalar y Morales, de quien tuvo ocho hijos. El mayor, Nicolás Severo, heredó la hacienda a la muerte de su padre en 1767. Su extensión iba desde el valle Calchaquí hasta la cordillera nevada de Chile.

Nicolás Severo de Isasmendi siguió los pasos de su padre en la carrera militar y política. Tuvo destacada actuación en los combates contra la rebelión indígena de Tupac Amaru en 1781, y fue el último gobernador virreinal de Salta. Producida la Revolución de 1810 encabezó la reacción realista, convirtiendo a la casa de Molinos en el cuartel central de los leales al Rey de España. Debió huir y refu-

giarse en las montañas de Luracatao, que conocía desde niño; sus bienes fueron embargados y pasó un tiempo en prisión. Soltero hasta los cincuenta y ocho años, se casó con una sobrina nieta, y tuvo cuatro hijos, con los que vivió en los valles hasta su muerte en 1837.

La casa fue comprada años después por don Indalecio Gómez, que en 1861 fue asesinado en el patio en momentos de disturbios civiles. Pero las tierras aledañas siguieron en manos de los Isasmendi. Testigo de buena parte de la historia regional, la casa de Molinos pasó muchos años abandonada en el presente siglo, hasta que en 1981 el gobierno de la provincia inició su restauración. Los elementos empleados fueron principalmente el adobe, la piedra y la madera de cardón, los mismos que fueron utilizados en su construcción original. A partir de 1987, bajo la dirección de Marcelo Cornejo Isasmendi, descendiente de los fundadores, se habilitó como hostería, con el nombre de Hostal

Bajo la sombra de un aguaribay, una vieja prensadora de uva de la bodega Colomé, propiedad de la familia Dávalos. Hacia 1870, doña Ascensión Isasmendi de Dávalos inició aquí la producción artesanal de vino, en tierras que formaron parte de Molinos.

PÁGINA IZQUIERDA: *Un grupo de cardones en las montañas de Luracatao, antaño parte de la hacienda de Molinos y actualmente propiedad de descendientes de don Domingo de Isasi Isasmendi, su fundador.*

del Gobernador, que era la denominación tradicional del edificio.

Es un ejemplo típico de las grandes casas patronales del noroeste argentino, estructurada alrededor de un patio interno, rodeado de amplios corredores y con un viejo aguaribay en el centro.

A pocos metros se encuentra la iglesia de San Pedro Nolasco de los Molinos, interesante ejemplo de arquitectura cuzqueña. Según la tradición familiar, la misa solía celebrarse desde el balcón del portal, para que pudiera presenciarla Nicolás Severo de Isasmendi desde el mirador de su casa, ubicada enfrente.

Actualmente sus descendientes son propietarios de estancias que formaron parte de la antigua hacienda.

La Calavera

Un viejo sillón de madera en
la galería, marco de cotidianas
reuniones familiares.

PÁGINA DERECHA:
Los ambientes principales de la
casa dan a esta larga galería
típicamente salteña.

EL VALLE DE LERMA recibió su nombre del conquistador Hernando de Lerma, que fundó en él la ciudad de Salta en 1582. En este valle histórico y de suelos fértiles, a sólo cuarenta y cinco kilómetros de la ciudad, se encuentra la vieja estancia La Calavera. Con ese misterioso nombre se la menciona en una antigua escritura de 1760, cuando el Maestre de Campo José de Saravia cede en dote la finca a su hija Antonia, que se casa con el capitán Pedro Arias Velásquez. Este matrimonio construyó a fines del siglo XVIII la casa de la finca; doscientos años después el edificio se conserva sin reformas arquitectónicas. Está ubicada al pie de un cerro, del que baja una acequia que la provee de agua. Esta acequia atraviesa el patio interno, y para evitar las inundaciones producidas por sus desbordes con las lluvias, la casa fue hecha en distintos niveles de modo que el agua corriera por dentro sin quedar estancada: de ahí que los muebles tengan sus bases desgastadas. Las gruesas paredes son de adobe, los pisos de robustos ladrillones, y las rejas de las ventanas de madera dura, pues en la época de su edificación el hierro, que se traía de Perú o Chile a lomo de mula, era escaso y muy costoso. La planta es típica de la época y lugar; los ambientes principales dan a una larga galería con columnas

El pequeño oratorio dedicado a
San Pedro Apóstol, se encuentra en
uno de los extremos de la casa.
En su interior, austero y sencillo,
resalta un óleo cuzqueño del 1700,
La Inmaculada Concepción.

IZQUIERDA: *El comedor, con
piso de ladrillones, aire rústico
y recuerdos familiares, se mantiene
idéntico desde hace más de un
siglo. Sobre la chimenea el retrato
del general Güemes, antepasado
de los propietarios.*

Dos gauchos de la estancia con los típicos ponchos Güemes y los guardamontes de cuero que los protegen de los arbustos espinosos en los cerros.

PÁGINA DERECHA: *Tabaco en cultivo previo a la cosecha. Al fondo, los cerros del valle de Lerma se imponen sobre el paisaje de La Calavera.*

armoniosas. En sus interiores predominan la sencillez y la austeridad salteñas. Al patio asoma la cocina con su viejo horno de pan todavía en uso. A un costado de la casa se halla el pequeño oratorio, levantado por licencia obispal en 1823. Lo preside San Pedro Apóstol, patrono de la zona, y su mayor tesoro son dos grandes óleos cuzqueños del 1700, que representan la flagelación de Cristo y la Inmaculada Concepción.

Durante el siglo pasado, la casa fue habitada por tradicionales familias salteñas emparentadas entre sí. Hacia 1920 hereda La Calavera doña Carmen Güemes de Latorre, nieta del general Güemes, héroe salteño por excelencia. Al morir la señora de Latorre, recibe la finca su sobrino Luis Güemes, destacado abogado e historiador. Su hija María Teresa Güemes Ayerza de Lanusse es la actual propietaria, y reside allí gran parte del año.

La estancia tiene mil cuatrocientas hectáreas; se cultiva tabaco, maíz y ají, y sobre el cerro, donde abundan montes de nogales, quebrachos y talas, se cría ganado Brangus. El sincretismo religioso característico del noroeste argentino se manifiesta también en La Calavera. Del 19 al 28 de junio de cada año se reza en el oratorio una novena a San Pedro Apóstol y el 29 se celebra su fiesta, con misa y procesión, tras lo cual se lleva a cabo la yerra anual y el ritual andino de la Pachamama (la Madre Tierra), que consiste en enterrar vasijas con maíz, coca, vino, carne y ají, como ofrenda propiciatoria para el año próximo.

San Juan Poriahú

Frente a la casa principal, un higuerón típico de la zona cubierto por plantas trepadoras.

PÁGINA DERECHA: *Rodeada de vegetación autóctona, la casa principal de San Juan Poriahú fue en su origen un oratorio jesuita. Sus techos de paja y sus gruesas paredes de adobe la protegen de los rigurosos calores correntinos.*

Un peón de campo realiza la clásica quema para favorecer la renovación de las pasturas.

PÁGINA IZQUIERDA: *Descanso del mediodía en la vieja matera. Allí, los peones gauchos comparten el mate al llegar del trabajo. La tradición también perdura en sus vestimentas.*

PROPIEDAD DE LA SEÑORA Ana María Meabe de García Rams, San Juan Poriahú es una estancia de trece mil hectáreas, principalmente ganadera. Casi la mitad de su superficie está cubierta de esteros; los del Iberá, interminables, comienzan en su costado oriental. Está ubicada al norte de la provincia de Corrientes, cercana al pintoresco pueblito de Loreto. La estancia es un santuario de fauna y flora exuberantes. En su paisaje, que alterna bañados, malezales y lomas, conviven carpinchos, yacarés, ciervos de los pantanos, monos, ñandúes y el rarísimo aguará-guazú o lobo de crin, en peligro de extinción; y se han registrado más de doscientas especies de aves, entre ellas el jabirú, la cigüeña de mayor tamaño del continente americano.

El casco está en lo alto de una loma, rodeado por un monte de especies nativas: lapachos, ibirá-puitá, gomeros y ombúes. Se presenta a la vista como un poblado de casas bajas, sencillas, de arquitectura espontánea, bien adaptadas a la zona. La casa principal, que data de unos trescientos años, fue un oratorio en la época de los jesuitas. Sus ventanas son pequeñas, y los techos de paja la protegen de los rigurosos calores del verano.

San Juan Poriahú integraba en el siglo XVII el vastísimo circuito de estancias de la Compañía de Jesús. El sitio debió de ser especialmente propicio para que los padres criaran ganado, por sus aguadas y buenas pasturas, y porque forma una especie de isla entre esteros, fácil de vigilar y defender. En la estancia se conserva todavía parte del camino Real,

Un puesto de la estancia que se encuentra muy alejado del casco. San Juan Poriahú abarca una extensión de trece mil hectáreas donde desarrolla una actividad principalmente ganadera.

Una tropilla es arreada por un peón gaucho hacia los corrales de la estancia

por el cual el general Belgrano marchó al Paraguay después de la Revolución de Mayo de 1810.

Tras la expulsión de los jesuitas las tierras fueron de un pionero español de la zona, don Pedro de Igarzábal, y luego de una tradicional familia correntina, los Fernández Blanco. En 1890 Angel Fernández Blanco moría sin descendencia, y legó la propiedad a un amigo suyo, Ernesto Meabe, ganadero y destacado hombre público de la provincia. Meabe compró dos estancias vecinas, las unió a ésta, y la llamó San Juan Poriahú, en guaraní San Juan Pobre, por el estado en que se encontraba al formarla, vacía de hacienda. Fue pionero en la cría de vacunos Shorthorn en la provincia. Los primeros ejemplares de esta raza fueron llevados a la estancia desde Buenos Aires (mil kilómetros al sur) en carretas. Raimundo, uno de sus ocho hijos, heredó esta estancia y otra vecina, Santa Ana Nu. El también, además

de activo político, fue hacendado progresista y exitoso. Su hija es la actual propietaria del establecimiento.

Las estancias correntinas, y San Juan Poriahú es un buen ejemplo de ellas, han cambiado poco con el tiempo. La persistencia de las tradiciones puede verse en la indumentaria de sus paisanos, cuya perfecta adaptación al medio ha hecho innecesarios los cambios: siguen usando la típica bombacha y faja, con sus polainas de lona debido a que trabajan en el agua y el clima es extremadamente húmedo. Enrollado a la cintura llevan un cuero protector, de ciervo o carpincho (tirador) que despliegan cuando se trabaja a pie con el lazo para que éste no roce los costados del cuerpo, a la vez que los protege de patadas de los animales. El gaucho de la provincia se caracteriza por el uso del pañuelo al cuello, cuyo color indica su preferencia política.

PÁGINAS SIGUIENTES:
Tropilla cruzando un paso. Escena habitual en San Juan Poriahú, donde el agua es omnipresente en su paisaje de esteros y bañados.

Acelain

Enrique Larreta. Oleo de Ignacio de Zuloaga, 1912. Museo Municipal de Arte Español Enrique Larreta, Buenos Aires.

PÁGINA DERECHA: *Vista de la casa y capilla de Acelain, construidas en 1924 por el arquitecto Martín Noel a pedido del escritor Enrique Larreta.*

Enmarcada por grandes cipreses,
una escalera de piedra conduce
a la casa principal de estilo hispano
árabe.

PÁGINA DERECHA: *El Jardín
de la Acequia, donde el agua en
movimiento, los perfumes y colores
dan una atmósfera de elaborada
intimidad.*

N EL PARTIDO DE TANDIL, a cuatrocientos kilómetros de la ciudad de Buenos Aires, se levanta
un majestuoso caserón hispano-árabe, aislado en
medio del campo, lejos de las poblaciones, en un paisaje
agreste con pajonales, pasto puna y arroyos. Desde lo alto
de unos cerros desgastados, que según los geólogos son
de los más antiguos plegamientos de la tierra, Acelain, fruto
de la conjunción de la prosperidad de los Anchorena y los
ensueños hispanizantes de Enrique Larreta, domina el silen-
cio y las lejanías de la pampa.

La familia Anchorena había llegado de España al Río
de la Plata en 1751; en el siglo XIX fueron los mayores terratenientes de la provincia de Buenos Aires. Los hermanos
Juan y Nicolás de Anchorena compraron, en 1859, las tierras
donde ahora se encuentra Acelain a la viuda del coronel
Manuel Morillo. Ocho mil hectáreas de la estancia llamada
originalmente San Nicolás fueron heredadas por la hija de
Nicolás, la bella Josefina de Anchorena, que en 1902 se casó
con el escritor Enrique Larreta, descendiente de una vieja
familia uruguaya. A la extensión inicial se agregaron otras

En el comedor, alfombra de cueros Aberdeen Angus de Acelain, una mesa de roble con sillas fraileras y en la pared, retratos anónimos de caballeros españoles del Renacimiento.

PÁGINA DERECHA: *Sala hispano árabe de techo artesonado, donde se destaca una talla de la Virgen con Niño, de la primera mitad del siglo XIV.*

cuatro mil hectáreas que Larreta compró de un campo lindero, con lo que quedaron fijados los límites de Acelain, nombre que le impuso el nuevo propietario por ser el del solar de sus antepasados vascos en Guipúzcoa.

El año de su casamiento la pareja partió a España, donde se despertó en Larreta la pasión hispánica que marcó el resto de su vida. De esta pasión son resultado el mejor de sus libros, *La gloria de don Ramiro,* novela que recrea la España del Siglo de Oro; sus colecciones de arte español y tres casas concebidas como ambientaciones para esas colec-

ciones. Fue innovador en el estilo arquitectónico elegido, pues en su época todo lo de importancia que se construía en Buenos Aires era de inspiración italiana, francesa o inglesa. Una de sus casas, El Potrerillo, está en Alta Gracia, Córdoba. Otra en Buenos Aires, en el barrio de Belgrano, donde vivió y murió, y hoy es el Museo Municipal de Arte Español Enrique Larreta. La tercera es Acelain, levantada en 1924.

Larreta empezó, como no podía ser de otro modo en esos despoblados, plantando árboles. Reservó cuatrocientas

Escritorio de Enrique Larreta,
con su retrato pintado en Buenos
Aires por el francés La Roche.
La biblioteca contiene antiguas
ediciones españolas.

IZQUIERDA: *El salón principal
fue decorado por Enrique Larreta
con mobiliario español, en su
mayoría del siglo XVII.*

PÁGINAS SIGUIENTES: *Ubicada
en lo alto de un cerro, la casa
domina el parque y el campo. En el
horizonte, las desgastadas sierras
de Azul.*

Una de las casas de piedra del personal de Acelain.

Las casas de peones, carpintería, herrería y caballerizas, configuran una suerte de pueblecito medieval vasco.

DERECHA: *Pinos bajo la luz del sereno crepúsculo pampeano de Acelain.*

hectáreas para el parque, y en 1906 contrató a un prestigioso paisajista alemán para crear las perspectivas y geometrías de pinos y cipreses entre los que habrían de pasearse ciervos traídos de Europa, que prosperaron hasta ser uno de los atractivos del sitio. La ubicación elegida para la plantación y para la construcción de la casa fueron dos cerros pedregosos, uno de ellos llamado "de la China" porque en una de sus cuevas vivió la última india de la región.

El arquitecto encargado del magno proyecto fue Martín Noel, conocido por su revaloración del estilo que él llamó "hispanoamericano" por considerar errónea la más común denominación de "colonial." La casa, ubicada en lo alto de uno de los cerros, domina el parque y el horizonte limitado por las sierras de Azul. La entrada se hace por grandes escaleras de piedra flanqueadas por estanques rodeados de naranjos, laureles y cipreses. El interior, lo mismo que la capilla, alberga importantes obras de arte y muebles españoles, en su mayoría de los siglos XI al XVII, traídos por el escritor de sus viajes por Europa. Escondida en un rincón de la casa, una escalera lleva al sótano donde Larreta hizo para sus nietos una copia de la cueva de Alí Babá, con falsos tesoros y personajes de fantasía.

Al pie del cerro, y mandadas a construir por Larreta en el mismo espíritu estetizante que el resto, se encuentran las viviendas del personal: su aspecto es el de un pueblecito español de la Edad Media, con caballerizas, carpintería, herrería, casa de peones, y una plazoleta con árboles, bancos y una fuente en el centro.

Entre los huéspedes ilustres que tuvo la estancia se encuentran el rey Leopoldo de Bélgica en 1962, los Príncipes Imperiales del Japón en 1967 y Henry Kissinger con su esposa en 1978.

Hacia 1940 el sustento productivo de Acelain se afirmó en el prestigio de su cabaña de Aberdeen Angus, cuya producción se vendía en dos remates anuales en el mismo campo. Larreta murió en 1961 a los ochenta y ocho años; mucho antes había delegado la administración en su hijo Agustín y su yerno Adolfo Zuberbühler. Actualmente Acelain ocupa una extensión de seis mil quinientas hectáreas y es propiedad de la familia Zuberbühler Larreta.

Arroyo Dulce

Ricardo B. Green Devoto.
Oleo de Philip Alexius de Laszló,
1927. Colección privada.

PÁGINA DERECHA: *Una
cálida luz de atardecer se refleja
en la galería de Arroyo Dulce.*

UN ARROYO, afluente del río Salto, da su nombre a esta estancia del partido de Pergamino, a doscientos kilómetros de la Capital Federal. El pionero en la zona fue un salteño, don Gregorio Lezama, cuyo nombre quedó ligado a uno de los más bellos parques de la ciudad de Buenos Aires, donde tenía su casa, hoy Museo Histórico Nacional. Gran amigo de los árboles, Lezama plantó en Arroyo Dulce alcanforeros, magnolias y paraísos que existen todavía en el parque de la estancia. Las tierras fueron luego propiedad de otro fuerte hacendado, Roberto Cano, uno de los fundadores del Jockey Club. Y en 1878 adquirió las veinte mil hectáreas de Arroyo Dulce uno de los más importantes empresarios y hacendados del país a fines del siglo pasado, Bartolomé Devoto.

Devoto era italiano, de Génova. En 1850, a los quince años, emigró solo a la Argentina; lo siguió pocos años después un hermano, Antonio, y juntos iniciaron sus actividades comerciales con un almacén de ramos generales. La abundancia de crédito en el país en crecimiento y una notable visión para los negocios hicieron prosperar a la sociedad, cuyos jalones en el tiempo fueron la creación del Frigorífico Argentino, el Banco de Italia y lo que hoy es el barrio de Villa Devoto, en la Capital Federal. Las adquisiciones de campos también fueron importantes, sobre todo en la provincia de La Pampa, donde llegaron a tener trescientas cincuenta mil hectáreas.

Hacia 1890 Bartolomé Devoto y su esposa Juana González levantaron la casa principal de Arroyo Dulce, sobre el antiguo casco provisto de foso para frenar el avance de los indios. La actividad de la estancia en esa época era la cría de ovejas y vacunos con cabaña de Shorthorn. Hubo también una granja avícola y una quesería.

Dos años después de la muerte de Devoto en 1922, su viuda emprendió la reconstrucción de la casa. El estilo elegido fue el colonial español, y el arquitecto, el entonces joven Alejandro Bustillo, que hizo también para la familia dos grandes casas en Buenos Aires y una en Mar del Plata, en la esquina de las calles Buenos Aires y Brown. Esta última, de estilo normando, es una de las pocas mansiones que escaparon a la demolición durante el auge inmobiliario de esa ciudad.

En Arroyo Dulce, Bustillo puso techos de teja española, cambió las columnas de hierro por otras de material, y

Frente principal de la casa de Arroyo Dulce, mandada a construir en 1890 por la familia Devoto, sobre el antiguo casco provisto de foso para frenar el avance de los indios. En 1922 fue reformada por el arquitecto Alejandro Bustillo, que le dio a la construcción original su estilo actual, con cierto aire colonial español.

Todos los ambientes de la casa dan a este gran patio interno rodeado de galerías de armoniosos arcos.

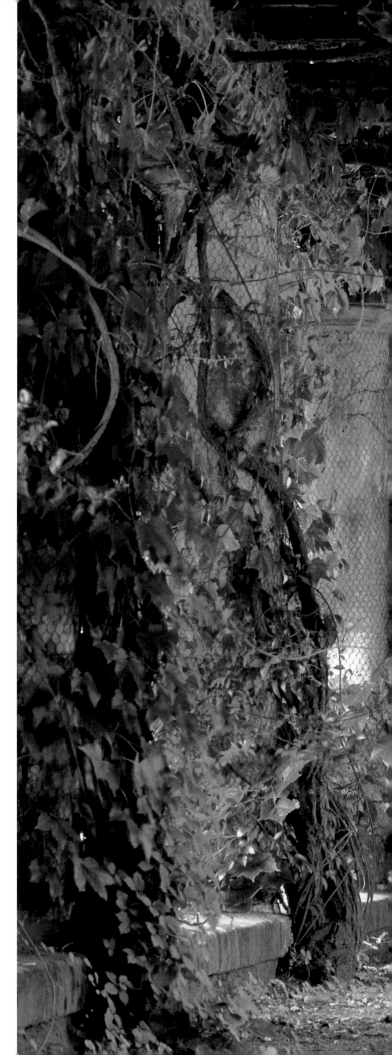

DERECHA: *Una de las largas pérgolas que recorren el parque.*

agregó aleros, pórticos, galerías y pérgolas. Todos los ambientes dan a un gran patio con naranjos rodeado de galerías de armoniosos arcos. La verja de hierro del portón de acceso permite vislumbrar desde el patio la perspectiva sin límites de la llanura.

El paisajista Benito Carrasco diseñó, a partir de 1920, el parque, que ocupa doscientas hectáreas. Hay en él un lago artificial, caballerizas, invernáculo, la casa del mayordomo, la de huéspedes, y una capilla levantada en 1928 en memoria de don Bartolomé, obra de Bustillo. Para llegar a este importante casco en medio de la pampa es preciso recorrer, desde el camino, más de cinco kilómetros de avenidas bordeadas de añosos eucaliptos, fresnos y tipas.

La actual propietaria de la estancia es Silvia Green, hija de Ricardo B. Green Devoto y bisnieta de Bartolomé y Juana. Arroyo Dulce consta de tres mil quinientas hectáreas y se dedica a la agricultura, complementada con algo de ganadería.

El retrato oval de Bartolomé Devoto
se hace presente en el acogedor living,
el ambiente más vivido de la casa.

DERECHA: *El amplio y austero
comedor de Arroyo Dulce. En el
ambiente vecino, un retrato de María
Rosa Devoto de Green, hija de los
fundadores de la estancia.*

La piscina, oculta entre la vegetación del parque.

IZQUIERDA: Vista lateral del pórtico de acceso a la casa.

Desde el pórtico de acceso a la casa, una vista de la pampa de Arroyo Dulce

DERECHA: *Un potrero con trigo previo a la cosecha. Arroyo Dulce está ubicada en el partido de Pergamino, uno de los principales centros agrícolas de la provincia de Buenos Aires.*

Miraflores

Doña María Antonia Segurola
de Ramos Mexía. Acuarela
de Carlos E. Pellegrini, c. 1831.
Colección privada.

PÁGINA DERECHA: *Frente
de la casa de Miraflores mandada
a construir en 1887 por Exequiel
Ramos Mexía y su esposa Lucrecia
Guerrico, sobre el casco primitivo
de una de las estancias más históricas
de la provincia de Buenos Aires.*

En Miraflores, la llanura de la pampa está presente en todo momento. El cuidadoso diseño de las abras del parque, hace posible la contemplación del entorno. La fuente de la cigüeña de bronce patinado fue traída de París en 1900.

PÁGINA IZQUIERDA: *La galería es el lugar más propicio para el descanso en las tardes de verano.*

IRAFLORES ESTÁ UBICADA a unos trescientos kilómetros al sur de la ciudad de Buenos Aires, en el actual partido de Maipú. La casa, construida en 1887, está muy aislada en el campo, en medio de un parque de árboles centenarios. Un viajero francés, Jules Huret, que estuvo aquí a principios de este siglo, "en el centro de una llanura sin límites", dejó anotada la sensación de "soledad, de lejanía y de extrañeza… ¡Sentir la impresión de que el Sol sale y se pone en la finca de uno! ¡Que es uno el dueño de una propiedad tan grande como París entero!". Huret se maravillaba, además, del refinamiento de los habitantes de esa casa "perdida en la inmensidad de la pampa… Se expresaban en un francés tan puro,

hablaban con tanta facilidad de literatura o de música, de viajes y de política, de religión y filosofía… que a veces me pareció hallarme en uno de nuestros círculos franceses más ilustrados".

No siempre había sido así. Cien años antes, en 1811, el antepasado de estos habitantes debió negociar su asentamiento con los indios pampas para fundar Miraflores. Fue Francisco Hermógenes Ramos Mexía, nacido en Buenos Aires en 1773, hijo de un sevillano llegado al Río de la Plata en 1749, y de Cristina Ross, hija de un escocés y de una aristócrata porteña. Francisco Hermógenes estudió teología y filosofía en el Alto Perú, donde fue con su hermano Ildefonso. En La Paz, Bolivia, se casó en 1804 con una rica

El balcón que corona el frente, con
la fecha de construcción.

DERECHA: *Una estatua escondida
en un rincón del parque, vista
desde el camino principal de acceso
al casco.*

heredera altoperuana, María Antonia de Segurola, de
catorce años, dueña de una finca cerca de los Yungas llamada Santiago de Miraflores, donde el matrimonio vivió
dos años. La dote de María Antonia consistía, además de
la finca, en ciento cincuenta mil pesos fuertes, un importante mobiliario, plata labrada y joyas. En 1806 el matrimonio volvía a Buenos Aires, y adquiría la chacra Los
Tapiales, en La Matanza, a las puertas de la ciudad.

Si bien vivirían ahí muchos años, los proyectos de
Francisco Hermógenes eran más ambiciosos. En 1811,
acompañado de baqueanos y un lenguaraz, cruzó el río
Salado y se internó en territorio de indios. Acampó en la
orilla de la laguna Kakel Huincul, desde donde podían verse
a lo lejos las lomas de Ailla-Mahuida y Mari-Huincul, principales asentamientos de las tolderías pampas del lugar.
Mandó a su lenguaraz a pedir una entrevista con los
caciques, a quienes les planteó su intención de comprarle
al gobierno de Buenos Aires esas tierras; pero lo haría úni-
camente si contaba con la aprobación y colaboración de
los indios: les haría un pago en monedas de plata, y, como
prenda de paz, ofrecía instalarse allí con su familia. Las
conversaciones debieron satisfacer a ambas partes, pues
en 1816 don Francisco Hermógenes marchaba de regreso
al Kakel en un convoy de carretas, donde iba María
Antonia con tres hijos pequeños.

En recuerdo de la finca boliviana la estancia se llamó
Miraflores; su extensión era de ciento sesenta mil hectáreas. Los primeros ranchos, en medio de los árboles que
empezaron a plantarse, fueron de adobe y paja. El
estanciero entabló amistad con los indios, y puso en práctica
sus ideas civilizadoras, incluida la exclusión del alcohol y
la poligamia, y enseñó la religión según un catecismo del
que era autor. En 1820 se firmó en Miraflores un tratado
de paz entre Francisco Ramos Mexía, como representante
de los indios, y el gobernador Martín Rodríguez como
representante del gobierno. Pero un año después el mismo
Rodríguez consumaba una matanza de indios en Kakel, y
Francisco Hermógenes, contra el que se habían confabu-
lado estancieros suspicaces de su poder, fue arrestado.
Debió abandonar la estancia con su familia (cuatro hijos
más habían nacido en Miraflores) para cumplir un arresto
domiciliario en el altillo de su chacra Los Tapiales. Los
indios reaccionaron violentamente y atacaron e incendia-

Los patos sobrevuelan el paisaje horizontal de Miraflores, que no ha cambiado en siglos. En estas tierras, hace ciento ochenta años, Francisco H. Ramos Mexía, junto con su esposa María Antonia de Segurola y sus hijos, llegó en carreta para fundar la estancia junto con los indios.

ron el pueblo de Dolores. Ramos Mexía murió siete años más tarde, cumpliendo su arresto.

Juan Manuel de Rosas había sido uno de los estancieros adversos al plan de Miraflores. Durante su gobierno los Ramos Mexía tuvieron que exiliarse, y la estancia y la chacra fueron confiscadas. Pero fueron recuperadas parcialmente en 1852 tras la caída del gobernador. María Antonia murió en 1860, y del reparto entre sus hijos, Miraflores quedó para Exequiel, casado con doña Carmen Lavalle. El hijo de éstos, también llamado Exequiel, tuvo importante actuación pública y refundó Miraflores: construyó en 1887 la casa en el mismo lugar donde estaban los ranchos primitivos, creó la cabaña de Shorthorn, y le dio al parque la configuración que tiene hoy. Su esposa, Lucrecia Guerrico, de familia de hacendados y coleccionistas de arte, refinó la sociabilidad de la estancia; hizo el campo de golf y organizaba campeonatos con las estancias vecinas. A la noche, eran frecuentes las fiestas con baile. Miraflores vivió en su época la etapa de mayor esplendor; fue entonces que pasó por ahí el francés Huret.

El matrimonio no tuvo hijos, y en 1935, al morir Exequiel, Lucrecia dejó la estancia a su sobrina Magdalena Bengolea Ramos Mejía, pues quería que siguiera en manos de descendientes de Francisco Hermógenes. El marido de Magdalena, Angel Sánchez Elía, modernizó el establecimiento y compró tres mil quinientas hectáreas lindantes, que habían pertenecido a la estancia original. Recibieron en Miraflores a ilustres invitados como Ortega y Gasset y Stravinsky entre otros.

Los propietarios actuales son Clara Zuberbühler de Sánchez Elia, nuera de Magdalena, y sus hijos, séptima generación en esas tierras. Las estancias vecinas pertenecen también a descendientes del fundador. En 1993 la familia Ramos Mejía se reunió en un almuerzo en la Sociedad Rural Argentina: un millar y medio de los cuatro mil quinientos descendientes del matrimonio que se internó en carretas en la pampa para fundar Miraflores junto con los indios.

La Biznaga

Vista de la casa principal de
La Biznaga entre los árboles de su
centenario parque.

PÁGINA DERECHA: *La casa
de La Biznaga fue mandada a
construir en 1901 por Carlos Blaquier
y su esposa Virginia de Alzaga.
Su estilo recuerda a la arquitectura
normanda.*

El parque fue diseñado por el paisajista Charles Thays a comienzos de siglo y decorado con elementos franceses e italianos.

DERECHA: *La casa principal fue edificada por el constructor italiano Ferruccio Togneri, quien también erigió las magníficas residencias de la familia Alzaga Unzué en la ciudad de Buenos Aires y el campo.*

ENTRE LOBOS Y SALADILLO, a ciento cuarenta kilómetros de la ciudad de Buenos Aires, donde hoy está La Biznaga, hubo a mediados del siglo pasado una posta con el mismo nombre, que es el de una flor blanca que crecía silvestre en la zona. Allí los gauchos y viajeros que atravesaban la pampa cambiaban los caballos y descansaban a la sombra de un viejo ombú antes de seguir el viaje.

En ese paraje, en 1891, compraron una legua de campo doña Virginia de Alzaga y su esposo don Carlos Blaquier, un entusiasta agricultor, que había crecido en la estancia paterna, La Concepción, a poca distancia al norte. Blaquier pertenecía a la tercera generación argentina de una familia de origen español; su madre, Agustina de Oromí Escalada, era sobrina del general San Martín.

En 1901 el matrimonio Blaquier encargó la edificación de la casa al constructor italiano Ferruccio Togneri, que hizo algunas mansiones para la familia de doña Virginia, como la de los Alzaga Unzué en la ciudad de Buenos Aires. En La Biznaga, además de la casa principal, Togneri realizó el edificio de la administración y escritorio, en cuyo frente puede verse la marca de hacienda de la estancia; sobre esta marca hay una tradición: una noche pidió posada en la tran-

quera un gaucho errante; al estanciero le llamó la atención la figura central de la rastra que llevaba el desconocido, una especie de corona. Preguntó si significaba algo, y como no era así, se la compró y la inscribió como marca.

El diseño del parque, en 1902, estuvo a cargo del paisajista francés Charles Thays, creador de los bosques porteños de Palermo.

La estancia fue al comienzo ganadera; se criaban vacunos Shorthorn, y hubo explotación lechera modelo; llegó a tener veinte tambos y una cremería instalada en la propiedad por la firma La Martona.

Caso poco frecuente en las estancias bonaerenses, La Biznaga evitó las divisiones por herencia durante tres generaciones; en 1961, cuando el fraccionamiento habría sido inevitable, se conformó entre todos los herederos una sociedad anónima, por iniciativa del doctor Carlos P. Blaquier, bisnieto de los fundadores, y su esposa Nelly Arrieta de Blaquier. Con el aporte consiguiente de capitales el establecimiento entró en una nueva fase; la sociedad duplicó la extensión original de la estancia, adquirió otras en la provincia, modernizó el equipamiento agrícola y se proveyó de silos de gran capacidad, entre otras mejoras. Hoy La Biznaga dedica sus cinco mil seiscientas hectáreas en un treinta por ciento a la agricultura, con predominio del maíz, y el resto a la ganadería de Aberdeen Angus.

La casa de La Biznaga estuvo deshabitada muchos años y perdió su esplendor original. Lo recuperó a partir de 1962, cuando Nelly Arrieta de Blaquier emprendió su restauración junto al arquitecto Emilio Maurette. Con el ingeniero Carlos Thays, nieto del paisajista, encaró la limpieza y reforma del parque. Hoy en sus treinta hectáreas abundan los cedros, robles, liquidámbar y plátanos, y sobrevive el viejo ombú de la antigua posta. También hay un gran lago y un zoológico poblado de ciervos, antílopes, carpinchos, ñandúes y gran variedad de pájaros.

La casa está decorada con parte de las importantes colecciones de arte de la familia Blaquier. Se ha puesto el acento en la temática rural; la platería colonial, rioplatense y altoperuana, incluye aperos, cuchillos, espuelas, rastras y mates entre otras piezas; en la excelente pinacoteca están representados los principales artistas que se ocuparon de la vida en la pampa durante el siglo pasado: Pallière, Blanes, Carlsen, Pueyrredon, Pellegrini, Rugendas, y Monvoisin.

IZQUIERDA: *Desde la galería se contempla a lo lejos el campo. Los maceteros que la adornan fueron traídos de Europa hacia 1890 por Carlos Blaquier y su amigo el presidente Carlos Pellegrini, quien colocó muchos de ellos en la Casa Rosada de Buenos Aires.*

En el comedor se destacan una virgen francesa del siglo XVII, y parte de la importante colección de platería colonial rioplatense y altoperuana del siglo XVIII.

Sobre la chimenea del living,
un importante óleo de R. Q.
Monvoisin: Gaucho con su mujer,
1856. Los candeleros de plata
son rioplatenses del siglo XVIII.

DERECHA: *La temática rural
se hace presente en la mayoría de
los interiores. En el escritorio del
fondo se destaca un óleo de Rudolf
Carlsen: El descanso en el campo,
c. 1840, y en primer plano, un
interesante óleo de León Pallière
(1823–1887), La procesión.*

La Vigía

Doña Enriqueta Lezica Aldao de
Dorrego con sus hijos Luis, Inés y
Enriqueta. Oleo de Ferdinand
Humbert, c. 1875. Colección privada.

PÁGINA DERECHA: *Vieja
avenida de eucaliptos que conduce
a la casa principal de La Vigía.*

Frente de la casa principal de La Vigía, construida en 1856 por Luis Dorrego Indart. El mirador, rasgo característico de las viejas estancias bonaerenses, era usado para avizorar con tiempo los ataques de los indios.

DERECHA: *La sala principal de la casa conserva parte del mobiliario que tuvo originalmente. Bajo el techo de tirantes de madera de algarrobo cuelga la antigua araña de gas que perteneció al palacio Miró-Dorrego en Buenos Aires. El retrato sobre la chimenea es del chileno Felipe del Solar, antepasado de los actuales propietarios. El retrato oval es de Inés Dorrego de Unzué.*

LA CASA DE LA VIGÍA, estancia del partido de Rojas, a ciento ochenta kilómetros de la ciudad de Buenos Aires, data de 1856. Fue construida por la segunda generación de la familia propietaria, en reemplazo del rancho original. La tercera heredera, Inés Dorrego, ya no la habitó; con su marido, Saturnino Unzué, levantaron una fastuosa mansión a la europea en otra de sus estancias. La Vigía quedó como testimonio de la vieja austeridad criolla y el temor al malón. Cercana a la frontera con el indio en la época de su construcción, es una casa-fortín, provista de mirador para avizorar con tiempo los ataques que podían venir del lado del río Rojas, y de un foso defensivo que aún subsiste en parte.

Es una típica casa criolla, de gruesas paredes, baja y con las habitaciones dispuestas alrededor de un patio con glicinas, limoneros y un aljibe en el centro. Recientemente se descubrió bajo el piso un sótano muy disimulado, concebido para refugiarse de un malón en caso extremo. Los interiores de la casa están decorados con muebles de época y retratos familiares de las distintas generaciones que la habitaron.

El parque, también criollo, tiene viejos ombúes, paraísos, magnolias, espinillos y una larga avenida de acceso flanqueada por eucaliptos. A un costado se encuentra la casa del personal, con el tradicional fogón, ambiente en que los peones gauchos compartían el mate y las historias.

A metros de la casa principal subsiste un rancho de valor histórico: según la tradición familiar, en 1828 pasó allí sus últimas horas el coronel Manuel Dorrego, gobernador depuesto de la provincia, que sería fusilado por orden del general Lavalle al día siguiente en Navarro. El infortunado coronel era hermano de Luis Dorrego, que en 1826 había adquirido La Vigía, entonces de cincuenta y siete mil hectáreas. Luis Dorrego, hijo de un portugués y de una aristócrata porteña, María Ascensión Salas, fue gran terrateniente, hacendado progresista, promotor de la industria

En la galería, Alberto del Solar, Enriqueta Lezica Aldao de Dorrego (propietaria de La Vigía), Felicia Dorrego de del Solar, Inés Dorrego de Unzué y Saturnino J. Unzué. En la mesa chica, los niños del Solar Dorrego. Fotografía tomada a principios de siglo. Colección privada.

La sencillez de la arquitectura criolla se manifiesta en esta galería del patio interno al que dan todos los ambientes de la casa.

DERECHA: *El infaltable aljibe en el centro del patio, usado antiguamente para recolectar agua.*

Un descanso con mate en la puerta de la cocina de peones.

saladeril, y también tuvo actuación política. En 1815, asociado con Juan Manuel de Rosas y Juan N. Terrero, instaló un saladero en Quilmes llamado Las Higueritas, que fue modelo en su género. Al disolverse seis años más tarde la sociedad, Dorrego compró varias estancias más: El Triunfo, Las Saladas y El Clavo.

Durante el gobierno de Rosas, Dorrego pasó unos años exiliado en Río de Janeiro por razones políticas. Sus propiedades no fueron afectadas gracias a la hábil administración de su yerno, Mariano Miró.

Su hijo Luis Dorrego Indart heredó La Vigía, reducida a un tercio de su extensión tras el reparto testamentario.

Fue en su época que se construyó la casa. Murió de cólera en 1871. Su viuda, Enriqueta Lezica Aldao, perteneciente a una vieja familia patricia de Buenos Aires, lo sobrevivió casi medio siglo; murió en el *Château des Crètes,* en Montreux, Suiza, donde pasó sus últimos años.

Sus bisnietos, Fernando del Solar Dorrego y Javier García del Solar Dorrego, son los actuales propietarios. La Vigía se dedica a la explotación ganadera y agrícola. Las estancias linderas, que formaron parte de La Vigía original, son también propiedad de descendientes de Luis Dorrego, su fundador.

Rincón de López

Doña Agustina Ortiz de Rozas de Mansilla y su hijo Lucio V. Acuarela de Carlos E. Pellegrini, c. 1833. Museo Histórico Nacional, Buenos Aires.

PÁGINA DERECHA: La casa principal fue construida hacia 1810 por don León Ortiz de Rozas y su esposa doña Agustina López de Osornio frente al histórico río Salado.

La casa de huéspedes, donde se conserva una importante biblioteca de Historia Argentina.

PÁGINA IZQUIERDA: *La amplia galería de Rincón de López. Al fondo, el puente que cruza el Arroyo de la Estancia.*

EL RÍO SALADO reaparece una y otra vez en la historia de las estancias bonaerenses. Esto es así porque fue la línea fronteriza entre la incipiente civilización y el "desierto" habitado por el indio. Rincón de López fue una estancia de frontera, asentada sobre el mismo río Salado, hacia su desembocadura en el Río de la Plata. Antes de la introducción del alambrado su ubicación era la ideal para el cuidado del ganado, ya que allí el Salado forma un recodo, o "rincón", que actuaba como corral natural.

Entre 1740 y 1753 se estableció en este lugar una misión de jesuitas evangelizadores de indios, pero los indios se mostraron irreductibles, y los jesuitas renunciaron a su cometido. Hacia 1761 los había reemplazado un estanciero mucho menos evangélico, el bravío Clemente López de Osornio, que prefería el fusil a los rezos. En 1775 denunció la propiedad al Virrey, con el que hizo un contrato, entonces usual, para poblar de ganado el campo, "limpiarlo de indios y alimañas", y al cabo de un plazo de cuarenta años disponer de su propiedad efectiva. El caserío se levantó cerca del río, con puente levadizo, mirador y abundancia de armas. Se llamaba Rincón del Salado, pero el nombre que quedó fue Rincón de López, en homenaje a su dueño, que fue ejemplo acabado del estanciero pionero, de

Doña Agustina López de Osornio de Ortiz de Rozas. Dibujo al lápiz de Carlos E. Pellegrini, c. 1830. Museo Nacional de Bellas Artes, Buenos Aires.

PÁGINA DERECHA: *La casa de Rincón de López es una construcción típica de las viejas estancias bonaerenses.*

indomable energía. El historiador Carlos Ibarguren dice de López de Osornio: "encarnó, en la segunda mitad del siglo XVIII, el tipo rudo del estanciero militar que pasó su vida lidiando para conquistar palmo a palmo la pampa y dominar a los salvajes infieles... Su establecimiento El Rincón era el eje de la ganadería en el sur, y el centro del abasto para la ciudad".

La guerra con el indio en Rincón de López era constante e implacable; menudeaban las cabezas exhibidas en lanzas como escarmiento, las degollinas y los rescates de cautivas; en 1783 don Clemente murió lanceado por un malón, junto con su hijo Andrés, y su cadáver fue arrastrado por los caballos de los indios hasta el Salado. Tenía setenta y tres años. Su temple, y la estancia, fueron heredados por su hija Agustina, mujer de indudable peso en la historia del país porque fue la madre de Juan Manuel de Rosas, futuro Restaurador de las Leyes, y la formadora de su carácter. Agustina se casó en 1790 con don León Ortiz de Rozas, capitán de Infantería y cautivo ocasional de los indios. Ella fue la estanciera y cabeza del hogar, rígida tradicionalista y mujer de a caballo, que no desdeñaba hacer largas jornadas de recuento de hacienda, rodeos y yerras. Eso cuando no estaba pariendo, cosa que hizo veinte veces en veinte años (sólo diez hijos vivieron).

En 1811 el gobierno concedió el título de propiedad de la estancia al matrimonio Ortiz de Rozas, que para entonces ya había construido la casa principal frente al río Salado. La familia pasaba los veranos en El Rincón: el viaje de cincuenta leguas desde Buenos Aires insumía tres o cuatro días de travesía por la pampa, y se hacía en un convoy de carretas con esclavas y guardia armada.

Ese mismo año de 1811 la estancia fue puesta bajo la administración del hijo mayor del matrimonio, Juan Manuel, de dieciocho años, que hizo allí su aprendizaje de estanciero. Su hermana, Agustina Ortiz de Rozas de Mansilla, que pasaba por ser una de las bellezas de la sociedad porteña de su tiempo, vivió parte de su infancia en Rincón de López. En 1830 pasa a ser propietario del establecimiento otro hijo de los Ortiz de Rozas, Gervasio, quien impuso un régimen de disciplina y eficacia que indujo a parientes y amigos a mandar sus hijos al Rincón de López a hacerse hombres de campo. Fue así como pasaron temporadas allí Lucio V. Mansilla, sobrino del

dueño y uno de los grandes escritores argentinos del siglo
XIX, y Bartolomé Mitre, futuro Presidente de la Nación. A
su muerte en 1855, soltero, Gervasio dejó por testamento
las dieciséis leguas del Rincón de López a un matrimonio
amigo y emparentado, Casto Sáenz Valiente y Juana
Ituarte Pueyrredon. Primo de Juana era el distinguido
pintor Prilidiano Pueyrredon, que retrató la estancia en
bellas acuarelas cuando fue su huésped en 1857.

Los bisnietos de los Sáenz Valiente son los dueños
actuales de la estancia. Su extensión es de dos mil quinientas
hectáreas y la actividad sigue siendo ganadera. El campo
conserva sectores salvajes, con montes de talas y fauna
autóctona. La casa mantiene el aire austero de los años
heroicos; aunque los indios ya no están, las ventanas continúan enrejadas y las paredes siguen teniendo más de
medio metro de espesor. Los interiores son sencillos, con
objetos familiares antiguos y documentos de las distintas
épocas del establecimiento. Es una de las pocas casas crio-
llas bonaerenses que se han conservado intactas; la única
reforma que sufrió desde que la construyeron Agustina y
León Ortiz de Rozas fue un altillo, agregado a principios
de este siglo. La madre de los actuales dueños, Juana Sáenz
Valiente de Casares, muy en el espíritu de Agustina, amaba
profundamente el Rincón de López, y en su vejez seguía
recorriendo la propiedad sola y a caballo.

*El río Salado, uno de los límites
de la estancia, era la antigua
frontera que separaba la incipiente
civilización, del desierto habitado
por el indio. En sus riberas, hacia
1783, fue lanceado y degollado
por un malón don Clemente López
de Osornio, fundador de Rincón
de López.*

Huetel

Desde la casa, vista del privilegiado entorno de Huetel.

PÁGINA DERECHA: *La casa de Huetel, testimonio irrepetible de la Edad de Oro de la ganadería bonaerense, fue construida por el arquitecto suizo Jacques Dunant, siguiendo los principios de la arquitectura francesa del siglo XVII.*

*Mandada a construir en 1905
por Concepción Unzué de Casares,
la casa de Huetel se levanta en
medio de un parque de cuatrocientas
hectáreas de extensión.*

PÁGINA DERECHA: *La avenida
de la Cierva, que conduce a un lago
del parque.*

Es INEVITABLE que el visitante de Huetel quede sorprendido por la presencia de esa gran casa y del imponente parque en medio de la pampa. Alejada de rutas asfaltadas, en días muy lluviosos queda prácticamente aislada; y si bien esto es común a muchas estancias bonaerenses, aquí es tanto más notable por el contraste entre el fasto europeizante de la construcción y la llanura desmesurada. El parque tiene una extensión de cuatrocientas hectáreas, con toda la variedad de árboles imaginable, y en sus largas avenidas pueden verse ciervos, antílopes, monos y ardillas. Un cuidadoso diseño de las abras hace que desde la casa pueda divisarse en todas direcciones la pampa circundante.

Todo esto surgió de la nada a comienzos de siglo, en un campo desierto, de grandes pajonales, y es un testimonio tanto de la opulencia ganadera de la *belle époque* argentina como del cambio de estilo de vida de los propietarios rurales que se había venido dando desde los años 80. A Huetel se asocia el nombre de Concepción Unzué de Casares, que heredó la estancia en 1886, a los veintidós años, construyó la casa en 1905 y fue su dueña y anfitriona hasta su muerte en 1959.

Un jardín cercano a la casa
principal.

PÁGINA IZQUIERDA: *Las
estatuas embellecen con naturalidad
y presencia el parque diseñado en
1899 por el paisajista suizo Welther.*

Su padre fue Saturnino Unzué, ganadero innovador y uno de los más grandes estancieros argentinos del siglo pasado. En 1860 compró al gobierno las tierras de Huetel, en el partido bonaerense de 25 de Mayo; la propiedad tenía sesenta y seis mil hectáreas cuando fue heredada por su hija, quien con fines de mejor administración la dividió en tres estancias: Vallimanca, La Verde y Huetel. Vallimanca es el nombre de un antiguo fortín que había en el lugar; La Verde, una laguna cerca de la cual tuvo lugar la batalla llamada "de la Verde," durante la revolución de 1874; y Huetel es el nombre en lengua pampa de la mulita. Era

entonces un campo desnudo, sin árboles. La primera tarea, iniciada en 1899, fue el parque. El paisajista suizo Welther se encargó del diseño y la supervisión; la estanciera con su marido, Carlos M. Casares, pasaban temporadas en Huetel Viejo, un puesto a dos leguas, donde había estado la primitiva estancia, vigilando los progresos de la plantación. El emprendimiento fue formidable: se plantaron cuatrocientos treinta mil árboles, ciento treinta mil perennes y el resto caducos. Provenían de viveros de Buenos Aires, transportados en tren hasta la estación 9 de Julio y de ahí hacían noventa kilómetros en carreta a Huetel. En 1902 se

Detalle de un banco de mármol con el nombre de la estancia.

Una de las abras del magnífico parque emplazado en el corazón de las pampas.

PÁGINA DERECHA: *Oculta entre los árboles del parque, se encuentra la capilla neogótica levantada en 1909 por Concepción Unzué en memoria de su esposo Carlos Casares.*

plantó el monte de frutales, de veinte mil árboles. Apenas completado el magno proyecto, una devastadora plaga de langostas obligó a rehacer buena parte del trabajo. Hoy el parque, primorosamente cuidado, alberga entre otras construcciones una capilla neogótica, una *crémerie* donde se preparan los quesos y la manteca de la estancia, y una cochera que guarda las diligencias que usaban los Unzué en el siglo pasado para ir a Huetel.

En 1905 se inició la construcción de la casa, con planos del arquitecto suizo Jacques Dunant, en estilo francés. Fue inaugurada en 1909 y, desde entonces, durante cincuenta años, Concepción Unzué visitó regularmente Huetel, donde recibía amistades y personalidades extranjeras; entre éstas se contaron en 1925 el Maharajá de Kapurtala y el Príncipe de Gales, para quien cantó tangos el dúo Gardel-Razzano; los visitantes llegaron a la estancia en un tren especial que los dejó en la estación cercana a la casa. La propietaria tenía su propio vagón amoblado, en el que hacía los trescientos kilómetros que la separaban de la ciudad de Buenos Aires. La actividad más constante de Concepción Unzué fue la beneficencia: fundó y dotó gran cantidad de asilos, escuelas, hospitales e iglesias. Tenía su casa, hoy sede del Jockey Club, en la elegante Avenida Alvear de Buenos Aires. Sus construcciones en la ciudad y el campo, junto con las de sus hermanas María Unzué de Alvear y Angela Unzué de Alzaga, dotaron al país de un importante patrimonio arquitectónico.

Tras su muerte sin hijos, Huetel pasó a su sobrina Josefina de Alzaga Unzué de Sánchez Elía; actualmente es propiedad de la hija de ésta, Josefina Sánchez Alzaga de Larreta Anchorena, y de María Elena Castellanos de Sánchez Alzaga y sus hijos Ignacio y Carlos. Desde Huetel se administran las distintas empresas agropecuarias de la familia en la provincia de Buenos Aires.

Ejemplares de la pintoresca raza de bovinos Belted Galloway, de la que Huetel tiene un rodeo.

DERECHA: *La crémerie, donde se hacen la manteca y los quesos de la estancia.*

PÁGINAS ANTERIORES:
La cochera alberga las diligencias usadas por la familia Unzué en el siglo pasado.

Malal-Hué en Chapadmalal

Una de las entradas al casco, entre potreros del antiguo haras.

PÁGINA DERECHA: *Cercana a la costa atlántica, la casa principal de Chapadmalal fue construida en 1906 por el arquitecto inglés Walter Basset Smith para la familia Martínez de Hoz.*

En una sala de la casa, un retrato de la antigua propietaria de la estancia, Julia Helena Acevedo de Martínez de Hoz, por Giovanni Boldini.

PÁGINA IZQUIERDA: *Vista general de la casa principal. Los cipreses mediterráneos han dado un equilibrio interesante a la fachada de estilo inglés.*

A POCOS KILÓMETROS de la costa atlántica de la provincia de Buenos Aires, a la altura de la ciudad de Mar del Plata, se encuentra esta estancia, hoy agrícola, en sus comienzos ganadera, y siempre renombrada por sus caballos. Su paisaje es quebrado, con verdes lomas y arroyos. Pertenece a la familia Martínez de Hoz desde 1854, y tiene una historia de adaptaciones oportunas y persistentes renacimientos. El haras de Chapadmalal, fundado en 1913, fue famoso, y sus linajes apreciados en todo el mundo.

El origen de estas tierras se remonta a 1826, cuando una sociedad compuesta por estancieros recibió cien leguas de campo bajo el régimen de enfiteusis puesto en vigor en 1822 por el ministro Bernardino Rivadavia. Durante el gobierno de Juan Manuel de Rosas, extinguida la enfiteusis, la sociedad obtuvo la propiedad, pero le fue imposible explotarla por hallarse en exceso expuesta a los ataques de los indios; de modo que decidió venderla. El encargado de la liquidación fue el presidente de dicha sociedad, el español Narciso Alonso de Armiño y Martínez de Hoz, que había llegado a Buenos Aires en 1792, llamado por su tío José Martínez de Hoz, próspero comerciante de la colonia, que al no tener descendientes deseaba dejar sus bienes a un familiar. En reconocimiento a su tío, Narciso adoptó su

Las borduras herbáceas de los jardines de Chapadmalal fueron las primeras que hubo en el país.

PÁGINA IZQUIERDA: *Los colores suaves de este jardín oculto de herbáceas perennes, donde predominan los blancos, rosados, lilas y violetas, dan una atmósfera de paz y tranquilidad.*

apellido y no tardó en convertirse en gran estanciero. Después de su muerte, en 1840, su hijo José T. completó la liquidación de las cien leguas de la sociedad, de las que adquirió, en 1854, veinte mil hectáreas donde fundó la estancia Chapadmalal. El nombre, que en lengua pampa significa "corral entre pantanos", proviene de tres arroyos cercanos al mar que servían de contención para el ganado. Construyó las primeras viviendas, y entre 1858 y 1861 importó toros de Inglaterra para mejorar los planteles de vacunos ya existentes. No fue tarea fácil, ya que los ataques de los indios no habían cesado.

En 1866 José T. fundó, junto con otros estancieros, la actual Sociedad Rural Argentina, de la que fue el primer presidente. Se había casado con doña Josefa Fernández Coronel, y su hijo Miguel Alfredo fue quien dio al establecimiento las características que harían su prestigio.

Miguel Alfredo Martínez de Hoz se había educado en Europa; en 1889, alcanzada la mayoría de edad, tomó posesión de su parte de la estancia, dedicando sus esfuerzos al mejoramiento del ganado. Construyó galpones e instalaciones de trabajo, que fueron modelo en su época, y trajo de Gran Bretaña semillas de las más diversas variedades. A las arboledas plantadas para proteger la propiedad de los vientos marinos siguió el parque, los jardines, y la casa, de estilo inglés, construida en 1906 con planos del arquitecto británico Walter Basset Smith. Se crearon grandes borduras herbáceas, las primeras de este estilo en el país, invernáculos, el jardín de rosas, el jardín italiano con sus escalones y leones de piedra, el jardín azul, y magníficos ejemplos de arte topiario. La esposa de Miguel Alfredo, Julia Helena Acevedo y Larrazábal, volcó sus experiencias botánicas en un libro titulado *Itinerario de mis flores*. La

Miguel Alfredo Martínez de Hoz. Oleo de Giovanni Boldini, 1913. Colección privada.

Julia Helena Acevedo de Martínez de Hoz. Oleo de Giovanni Boldini, 1912. Colección privada.

Escondida en el parque entre robles y cedros, aparece la pequeña capilla neogótica levantada en 1909 por el mismo arquitecto de la casa principal.

pequeña capilla neogótica fue levantada en 1909 por el mismo arquitecto de la casa; hoy puede vérsela en medio del parque escondida entre cedros y robles centenarios.

Los vacunos Shorthorn de pedigree de Chapadmalal y los caballos de raza, de silla, de tiro y Hackney, fueron ganadores de muchos premios y campeonatos nacionales e internacionales. La tarea que se impuso Miguel Alfredo Martínez de Hoz fue vindicar la fama del caballo argentino en el exterior. En 1907 el esforzado criador se embarcó rumbo a Inglaterra con ochenta caballos de Chapadmalal; sus éxitos en exposiciones de Olympia y Richmond, en Londres, acreditaron al *élevage* argentino. Con uno de sus carruajes, el renombrado Reliance, asumió diariamente la posta de Londres a Guildford, y en 1909 corrió la Maratón de once millas y media entre Hampton Court y Olympia marcando el mejor tiempo (41 minutos, 40 segundos) pero fue relegado al segundo puesto porque uno de sus caballos había llegado fatigado. Los cuatro tordillos del norteamericano Alfred Vanderbilt resultaron ganadores, pero en la revancha triunfaron los caballos de Martínez de Hoz.

En 1913 fundó el haras Chapadmalal y compró un excelente conjunto de yeguas y padrillos en el país y en el extranjero. En Inglaterra eligió a Craganour, que en Chapadmalal fue padre y abuelo de una larga progenie de *cracks*. Otra adquisición rutilante, por un precio récord en 1919, fue Botafogo, legendaria estrella del turf argentino,

Rincón del cuarto de arneses,
con distintos tipos de frenos y
premios de caballos de Chapadmalal, obtenidos en exposiciones
de Londres entre 1908 y 1914.

DERECHA: La padrillería, que
durante tantos años alojó padrillos
pura sangre de carrera de gran fama
y éxito, como el legendario Botafogo.
Las hortensias rosadas recuerdan
los colores de la chaquetilla del haras.

El paisaje levemente ondulado, característico de la propiedad, con una laguna poblada de garzas. En primer plano, un potrero con soja.

que tiene su tumba en la estancia. Hoy los potreros de la estancia llevan los nombres de los padrillos que hicieron la fama de su haras.

La crisis de 1930 afectó a Chapadmalal. En 1935, a la muerte de Miguel Alfredo, sus hijos José Alfredo, Miguel Eduardo y María Julia, marquesa de Salamanca, lograron superar las inmensas dificultades y mantener y acrecentar el prestigio de la cabaña Shorthorn y el haras. Este último se enriqueció con otros padrillos importados, entre ellos Bahram, Parwiz y Rustom Pashá, propiedad del Aga Khan. A la par de los importados, se utilizaron como padrillos los mejores caballos nacionales, como Picacero, Parlanchín y Seductor.

En 1959 los hermanos dividieron la propiedad y el haras. La parte central de la estancia con el antiguo casco pasó a llamarse Malal-Hué en Chapadmalal (Malal-Hué significa "el verdadero lugar del corral"), y quedaron de propiedad de José Alfredo Martínez de Hoz, casado con Carola Cárcano. Sus hijos José Alfredo, Juan Miguel, Ana Helena M. de H. de Torres Zavaleta y Carola M. de H. de Ramos Mejía, son los propietarios actuales. En 1986 la explotación de Malal-Hué comenzó a ser en su totalidad agrícola, actividad en la que el establecimiento es modelo.

Ojo de Agua

Saint Sever, uno de los padrillos que actualmente mantienen el prestigio de Ojo de Agua. Al fondo, la vieja padrillería.

PÁGINA DERECHA: *La casa principal de Ojo de Agua, construida a fines del siglo XIX al pie de la sierra de La Vigilancia. La estancia fue fundada en 1868 por el pionero vasco-francés don Pedro Luro, y es actualmente propiedad de sus descendientes.*

LA ESTANCIA que alberga este afamado haras está ubicada cerca de la ciudad de Mar del Plata, al pie de la sierra de La Vigilancia; el terreno tiene altas lomas que proveen una protección natural contra los vientos del sur. Su nombre se refiere a una vertiente que mana miles de litros diarios de agua pura. La casa principal, construida hacia fines del siglo pasado, está rodeada de una exuberante vegetación que se extiende hasta las instalaciones del haras con su padrillería y doscientos cincuenta boxes que han albergado a muchos astros de los hipódromos argentinos y del mundo.

La cría de sus pura sangre de carrera fue iniciada en 1877 por el distinguido *sportman* Santiago Luro en su estancia La Quinua en Dolores; años después, por sugerencia de su sobrino y asociado Raúl Chevalier Luro, trasladó el haras a Ojo de Agua, cuyo clima y suelo son ideales para este cometido. Santiago era hijo de Pedro Luro, legendario pionero vasco francés y padre de catorce hijos a los que les dejó a su muerte cerca de cuatrocientas mil hectáreas de campo. Santiago, el mayor, administró los bienes de su padre y recibió en vida de éste como regalo la estancia Ojo de Agua, comprada en 1868 a la Sociedad Rural Argentina.

La lista de premios obtenidos por caballos de Ojo de Agua es larga y exhaustiva; no hay honor que les haya sido ajeno. El haras se ha destacado siempre por la acertada adquisición de sus padrillos y la cuidadosa selección del plantel de vientres. Esta política empezó, desde sus comienzos, con la importación de dieciocho yeguas sobresalientes, pertenecientes a un prestigioso haras de Inglaterra. En 1903 Raúl Chevalier compró la mitad de la sociedad a su tío Santiago Luro y quedó como propietario y director. De esa época data la compra del primer gran reproductor, también en Inglaterra: Kendal, de gran influencia para la cría del pura sangre en la Argentina. Chevalier murió muy joven, en 1904, y asumió la dirección del haras Guillermo Paats, quien realizó la compra de importantes padrillos, entre ellos Polar Star y Cyllene, en 1908: no pasó mucho tiempo para que a este último se lo empezara a mencionar como *the best horse in the world* debido al notable éxito de sus hijos en Europa y Argentina (cuatro Derbys de Epsom, tres veces el Gran Premio Nacional en Buenos Aires). El prestigio alcanzado por este célebre padrillo

hizo que se recibieran ofertas millonarias, que la propietaria, doña María Luro, rechazaba respondiendo: "Cyllene no tiene precio".

La década de 1930 se inició con otra adquisición destinada a tener grandes consecuencias: Congreve. De sus hijos, ciento setenta y siete fueron ganadores, seis de ellos lograron el Gran Premio Nacional, y el resto triunfos clásicos y numerosas victorias en distintas carreras del país. En 1954 la señora María Angélica Chevalier Luro de Victorica Roca suma a esta nómina de padrillos del haras a Aristophanes, padre del glorioso Forli, ganador de los más importantes premios del país y posteriormente jefe de raza en los Estados Unidos.

Continuando la tradición familiar, Inés Victorica Roca adquirió en Estados Unidos en 1970 el padrillo Good Manners, que fue ganador de estadísticas de padrillo y ocupa un puesto privilegiado como abuelo materno en la Argentina. Hoy prestan servicio en el haras los padrillos Saint Sever, Tough Critic, Espacial y Firery Ensign, entre otros, y más de cien yeguas de excepcional pedigree. La extensión de la estancia es de mil quinientas hectáreas, destinadas en su mayor parte al haras.

En recuerdo de los tiempos de Pedro Luro queda un gran corral de piedra y una carreta contigua a la casa principal; y como testimonio histórico del haras, un cementerio con viejos cipreses y lápidas de piedra para los padrillos y yeguas que más se destacaron.

Los actuales propietarios de Ojo de Agua, descendientes de Pedro Luro, son Justo J. de Corral, Margarita I. de Corral de Braun y Julio de Corral, quien también dirige y administra el haras.

En un interior de la casa, óleos de padrillos que prestaron servicio en Ojo de Agua. Sobre la mesa, algunos de los premios obtenidos.

La tumba del célebre Congreve
preside el cementerio de padrillos
y yeguas bajo los cipreses.

Vista panorámica del haras desde
la sierra de La Vigilancia, donde
puede verse la padrillería con
sus piquetes y el paisaje ondulado
de la propiedad.

Los Yngleses

Vista de los primeros ranchos de Los Yngleses, base de la construcción actual. Acuarela de Thomas Gibson, c. 1838. Colección privada.

PÁGINA DERECHA: *Viejo camino de entrada a la histórica estancia ovejera de la familia Gibson. Al fondo, la casa principal. Originalmente eran ranchos aislados, que fueron unidos hacia 1872 en un solo cuerpo. La paja de los techos fue reemplazada por tejas y se agregaron elementos típicamente escoceses en su fachada.*

La cocina, con techo de chapa, está apartada de la casa. Esto era habitual en las estancias bonaerenses del siglo pasado.

DERECHA: *En el comedor, sobre la chimenea, un cuadro pintado en 1928 por B. S. Donaldson, cuñado de Ernesto Gibson, que retrata a peones escoceses de la estancia, cuyos descendientes siguen trabajando allí. Las acuarelas son de Thomas Gibson, pintadas en los pagos del Tuyú en la década de 1830.*

DONDE EMPIEZA la costa marítima de la provincia de Buenos Aires, a la altura del Cabo San Antonio, se levanta esta vieja estancia, adquirida en 1825 por una familia escocesa, los Gibson, cuyos descendientes siguen en ella. El nombre primitivo era Rincón del Tuyú, pero los criollos del pago le impusieron su denominación actual.

La historia de la cría de ovejas en el país tuvo aquí sus mojones clave. La importancia de Los Yngleses está justamente en su carácter pionero en el refinamiento del ganado ovino, y en las técnicas de su explotación.

Sus cinco mil seiscientas hectáreas conservan el paisaje original de la región: bañados, cañadones, lagunas, montes naturales de talas y coronillos. Un rico inventario de aves ha encontrado refugio en ese escenario: patos, flamencos, cigüeñas, garzas, gallaretas, cisnes.

En el camino de acceso al casco hay un alto mirador construido con maderas de un barco inglés, *Her Royal Highness,* que naufragó en la costa del Tuyú en 1882. Una centenaria avenida de eucaliptos lleva a las casas: la principal, y a su alrededor las de los peones, el escritorio, el fogón y el viejo galpón de esquila. Originalmente eran ranchos criollos, que poco a poco empezaron a tomar un aire escocés. Hacia 1870 se cambió la paja de los techos por tejas, y se unieron los ranchos formando una casa de un solo cuerpo que es la que puede verse en la actualidad.

La historia del establecimiento cubre dos siglos. En 1819 llegó a la ciudad de Buenos Aires John Gibson, de veintidós

Yerra en Los Yngleses. Al fondo,
el monte del casco. Acuarela de
Thomas Gibson, 1838. Colección
privada.

La familia Gibson y el personal, fijando los límites de la estancia. El administrador de Los Yngleses sostiene el mojón con la marca de hacienda. Acuarela de Thomas Gibson, mediados del siglo XIX. Colección privada.

Galpón de esquila construido en 1872. En él se conserva la primera prensadora de lana que hubo en el país, importada por los Gibson.

años, hijo de un exportador textil de Glasgow. La sucursal de la casa Gibson se estableció en la calle Potosí, con la finalidad de importar géneros de Escocia y exportar cueros y pieles de nutrias. Poco después completaron el contingente tres hermanos de John: Georges, Robert y Thomas, y un empleado de la casa matriz, Richard Newton, cuyo hijo Ricardo sería el introductor del alambrado en el país.

En 1825 los Gibson compraban la estancia, de cuatro leguas, más tierras fiscales linderas, pobladas desde 1810 por el criollo Esteban Márquez.

Hacia 1828, cuando ya se habían construido los primeros ranchos, la estancia contaba con seiscientas cabezas de ovejas pampas, que años más tarde fueron cruzadas con Merinos. A partir de 1844 se produjeron importantes avances en la explotación lanar de los Gibson. Comenzaron a exportar directamente, desde la costa del Tuyú a Liverpool, lana enfardada en la estancia con la primera prensadora que se trajo al país, y construyeron el primer bañadero de ovejas para combatir la sarna. Luego de sucesivas pruebas y cruzas quedó el Lincoln como raza exclu-

Uno de los tantos cañadones que abundan en la región. Las tierras de Los Yngleses son muy ricas en aves. Aquí recogió material para sus libros de ornitología el naturalista William Henry Hudson (1841–1922).

Un ejemplar de raza criolla pura, de la que se conserva un rodeo en Los Yngleses.

siva de la estancia, con excelentes resultados durante muchos años. Los Yngleses llegó a tener cien mil cabezas.

La topografía especial de esta rinconada amedrentaba a los indios, que en sus correrías la pasaban de largo. Temían que a sus caballos les dificultaran el paso los bañados y cangrejales. Aun así, los Gibson tuvieron que capear dos malones memorables, uno en 1831, cuando se combatió en el monte frente a la casa, y el segundo y último en 1855, en el que se usaron piezas de artillería pesada.

Otra invasión, que hoy suena fabulosa pero fue real, es la de los perros cimarrones, que atacaban en vastas manadas nocturnas. En la estancia se hacían batidas que cobraban miles de piezas pero los ataques no cesaban. Durante décadas hubo que encerrar todas las noches a las ovejas en corrales.

Uno de los hermanos Gibson, Thomas, es el autor de unas bellas acuarelas que se conservan en la estancia, documento ingenuo y veraz de la vida rural de la época. En 1862 Thomas volvió a Escocia, y la administración quedó en manos de sus hijos Herbert y Ernesto. Este último, al disolverse la sociedad, quedó dueño del casco con cinco mil seiscientas hectáreas, donde pasó su vida estudiando las aves, en ocasiones en compañía de su amigo, el naturalista y escritor William Henry Hudson, que recogió aquí material para sus libros *Argentine Ornithology* y *Birds of La Plata*.

Actualmente Los Yngleses es propiedad de los nietos de Ernesto Gibson: John Boote, casado con Elisa Magrane, Rosemarie Boote de Cavanagh y Elizabeth Boote de Gurmendi, hijos de Lorna Gibson y Francisco Boote. A pesar de la actual crisis lanar, Los Yngleses persiste en la cría de ovejas Lincoln y Romney Marsh, y mantiene rodeos de Aberdeen Angus y de vacunos criollos puros.

Hacienda criolla pura y un añoso tala en la inmensa pampa de Los Yngleses.

La Elisa

Fotografía tomada en La Elisa
un día antes de la muerte del
ex-presidente Miguel Juárez Celman,
a quien se ve al lado de su esposa,
Elisa Funes, y rodeado de sus hijos
Mercedes, Eloísa, Carlos y Clara,
su sobrina Josefina Roca de Castells,
hija del ex- presidente Roca (sentada
extrema izquierda), su nuera
Matilde Amadeo Casares (de pie, con
moño en la cabeza) y la institutriz
de las hermanas Roca (extrema
derecha). Abril de 1909. Colección
privada.

PÁGINA DERECHA:
Una de las cuatro entradas a la
casa principal. El arquitecto
Francisco Tamburini, constructor
de importantes edificios hoy clásicos
en la ciudad de Buenos Aires,
erigió La Elisa en estilo italiano.

Casa principal de La Elisa, mandada a construir en 1887 por el entonces Presidente de la Nación, Miguel Juárez Celman.

DERECHA: *El comedor, con antiguos óleos cuzqueños y parte de la importante colección de platería.*

L A CASA DE LA ESTANCIA La Elisa fue construida hacia 1887 como residencia de descanso por el entonces Presidente de la Nación Miguel Juárez Celman, que había adquirido las tierras un año antes, en el partido de Capitán Sarmiento, a ciento sesenta kilómetros de la Capital Federal.

Juárez Celman, abogado cordobés, accedió a la presidencia en 1886 con el apoyo del presidente anterior, Julio Argentino Roca, con el que lo unían lazos de parentesco: ambos estaban casados con las hermanas Elisa y Clara Funes, hijas de un rico hacendado cordobés.

En esos años la prosperidad económica del país multiplicó las ganancias del campo; en la clase alta porteña la vieja austeridad criolla dio paso al lujo y al esplendor. La ciudad de Buenos Aires, especialmente la Avenida Alvear, se llenó de palacios de inspiración europea, iluminados con luz eléctrica desde 1888. Las estancias siguieron la moda. Juárez Celman encargó la construcción de La Elisa al arquitecto italiano Francisco Tamburini, que también diseñó edificios hoy clásicos en el paisaje urbano de Buenos Aires, como la Casa Rosada en su versión actual, el plano original del Teatro Colón y numerosas residencias particulares, incluida la casa de ciudad del Presidente, en la calle 25 de Mayo, hoy demolida. El estilo de La Elisa es netamente italiano; fue el primer casco de estancia de arquitectura europea palaciega en la provincia de Buenos Aires.

El salón principal está decorado con
muebles de los siglos XVIII y XIX y
platería principalmente rioplatense.

DERECHA: Hall bajo la cúpula
central de la casa. Sobre los capiteles
de las columnas, las iniciales del
primer propietario de la estancia.

Uno de los galpones que datan de la época de Juárez Celman. Frente a él, Fax, toro Gran Campeón Polled Hereford de la Exposición Rural de Palermo en 1991.

DERECHA: *Vista del parque desde la galería. El presidente Juárez Celman se ocupó personalmente de la plantación, como también lo hizo el posterior dueño de La Elisa, el empresario y ganadero Alfredo Hirsch.*

La Revolución del 90 forzó la renuncia de Juárez Celman, que se retiró de por vida de la política; eligió quedarse en el país, y lo hizo casi permanentemente en La Elisa junto a su esposa y sus hijos. Allí se dedicó al cuidado del parque y a su biblioteca, mientras recibía a importantes personajes de la política nacional y leía las críticas a su pasada administración. Tras una larga enfermedad que lo tuvo postrado sus últimos años murió en La Elisa en el otoño de 1909.

La estancia declinó en años posteriores, y en la crisis de la década del 30 los hijos de Juárez Celman la pusieron en venta. La adquirió en 1934 Alfredo Hirsch, empresario y ganadero, legendario presidente durante muchos años del grupo Bunge y Born.

Hirsch había nacido en Mannheim, Alemania, en 1872; a los veintitrés años emigró a la Argentina, ya fogueado en negocios de importación y exportación en oficinas de Bruselas. Su actividad tuvo gran importancia en el desarrollo industrial argentino, con la creación de prestigiosas firmas. El campo también tentó sus energías. Algunos de los frutos de sus esfuerzos fueron las estancias Las Lilas, en Lincoln, provincia de Buenos Aires, y La Elisa, en la que impuso las técnicas más modernas de cría de ganado y producción lechera. En 1949 se iniciaron los registros genealógicos del plantel de vacas Holando Argentino de La Elisa, que actualmente tiene un rodeo de tres mil doscientos animales puros de pedigree. La cabaña de la estancia ha ganado primeros premios en las principales exposiciones nacionales. La producción de leche alcanza los ocho millones quinientos mil litros anuales. Actualmente La Elisa tiene una extensión de tres mil ochocientas hectáreas y su propietaria es Sarah Saavedra de Hirsch, nuera de don Alfredo. Este murió en 1956, a los ochenta y cinco años, y, lo mismo que el primer dueño de La Elisa, amó su parque y lo enriqueció con especies variadas y exóticas. Su obra fue continuada con la misma eficiencia por sus hijos Rodolfo y Mario.

Hoy, en sus amplios pasillos y salones, la casa luce platería altoperuana, muebles coloniales y óleos cuzqueños; se mantiene sin reformas arquitectónicas desde la época de su construcción.

Harberton

La casa principal construida en 1887, de madera y chapa, es la más antigua de Tierra del Fuego. Fue armada en Inglaterra y traída desarmada en barco. Hoy la habitan los descendientes del reverendo Bridges, fundador de la estancia. Un arco hecho con mandíbula de ballena hace de entrada al jardín.

PÁGINA DERECHA: *El sitio donde se instaló el casco de Harberton, bien protegido de los fuertes temporales, fue sugerido a la familia Bridges hace más de un siglo por los yámanas, indígenas canoeros de las costas del sur de Tierra del Fuego.*

En el balcón de la casa, un esqueleto de cetáceo y raquetas para caminar en la nieve traídas de la Antártida.

DERECHA: En el paisaje ondulado de la estancia, un pequeño galpón usado como depósito de fardos.

A SESENTA KILÓMETROS al este de la ciudad de Ushuaia, sobre la costa zigzagueante del canal Beagle, está Harberton, "la estancia del fin del mundo", propiedad de los descendientes del reverendo Thomas Bridges. Es un establecimiento ganadero, principalmente lanar, como lo fue en sus orígenes hace más de un siglo; el terreno es montañoso, con bosques de especies autóctonas y algunos ríos y arroyos; sobre la costa hay varias bahías y penínsulas, en una de las cuales se halla el casco; también le pertenecen algunas islas cercanas, a las que se llevan en balsa ovejas a pastar.

La historia de Harberton se confunde con la de Tierra del Fuego, que es la isla mayor del archipiélago austral argentino-chileno. Aquí vivieron los yámanas o yágan, los "canoeros fueguinos", indígenas cuya adaptación a las extremas condiciones climáticas llamó la atención de los viajeros europeos desde el paso de Fernando de Magallanes en 1520. El principal recurso vital de los nativos era el lobo marino, que comenzó a extinguirse desde fines del siglo XVIII, en razón de la captura intensiva de que fue objeto por parte de franceses, ingleses y posteriormente españoles. Peces y moluscos reemplazaron al lobo marino en la dieta de los yámanas, que eran hábiles navegantes y no incursionaban tierra adentro. El fuego, su único abrigo, era el centro de sus vidas; lo llevaban inclusive en sus canoas. La falta del lobo marino y la vulnerabilidad a las enfermedades traídas por el hombre blanco fueron la principal causa de su extinción.

En Inglaterra, el conocimiento de la existencia de los canoeros fueguinos, condujo a un grupo de fervientes cristianos a fundar una Misión, la South American Missionary Society, cuyo secretario, George Despard, se estableció en 1856 en una de las islas del archipiélago de Malvinas (la isla Vigía o Keppel) a la que se llevaban indígenas del continente para evangelizarlos y enseñarles a hacer cultivos y criar ganado. A Despard lo acompañaban su familia y dos hijos adoptivos. Uno de estos últimos había sido encontrado, a los dos o tres años, bajo un puente (bridge en inglés) con una letra "T" bordada en sus ropas: se lo bautizó Thomas Bridges. En el momento de viajar al Atlántico Sur tenía trece años.

Las misiones que intentaron establecerse en Tierra del Fuego fracasaron una y otra vez, hasta que en 1862 el reve-

Vista general del casco de Harberton, conocida como "la estancia del fin del mundo" por su ubicación en el extremo sur del continente americano.

rendo Despard, desalentado, regresó a Inglaterra con su familia. Pero el joven Bridges se quedó, y prosiguió la tarea misionera. En 1868 pasó unos meses en Inglaterra, de donde volvió ordenado pastor, y casado con Mary Varder, con quien tendría seis hijos, todos nacidos en la Misión austral. En 1869 el matrimonio se afincaba en un paraje sobre el canal Beagle llamado Ushuaia, donde el contacto con los nativos se hizo más fluido. Allí los Bridges, que fueron la primera familia europea en vivir en Tierra del Fuego, pasaron dieciocho años, realizando su labor humanitaria.

Una de las razones por las que Thomas Bridges tuvo éxito donde otros habían fracasado fue su don de lenguas, que le permitió dominar la difícil y riquísima lengua yámana de unos treinta mil vocablos, y comunicarse con los nativos. Con el tiempo, este conocimiento cristalizó en el *Yamana-English Dictionary* del que es autor, obra invalorable para el conocimiento de una cultura desaparecida.

En 1884, después de que se firmara el tratado de límites australes argentino-chileno, el gobierno de la Nación envió al Beagle un destacamento al mando del capitán Augusto Lasserre. Fueron recibidos por los misioneros, que izaron la bandera argentina y colaboraron en la instalación de la subprefectura, base de la actual ciudad de Ushuaia.

En reconocimiento por los muchos años de acción pionera y civilizadora en la región, el Presidente de la Nación Julio A. Roca y el Congreso Nacional donaron en 1886 al reverendo Bridges veinte mil hectáreas de tierra sobre el canal Beagle. Allí se formó la estancia, llamada en principio Downeast y luego Harberton, en recuerdo de la aldea de Devon donde había nacido Mary Varder de Bridges. El padre de Mary Varder era carpintero, y fue en la aldea inglesa de Harberton donde construyó la casa de madera y chapa para su yerno, que fue enviada desarmada en barco. El sitio donde se la instaló, en 1887, fue propuesto por los yámanas como el más protegido de los temporales en ese sector de la costa. Sigue allí, y es la casa más antigua de Tierra del Fuego. Ya casi extintos por entonces, los yámanas sobrevivientes alzaron sus toldos alrededor de la casa, de la que recibieron protección, educación y trabajo. Atraídos por la fama de generosa humanidad de la familia Bridges, también se acercaron a Harberton los indios ona, cuyo hábitat estaba más al norte de la isla; eran guerreros y cazadores de guanacos. Tras la muerte del reverendo

Gansos en el camino de entrada al casco.

PÁGINA DERECHA: *Una lenga (Nothofagus pumilio), da testimonio de la fuerza de los vientos fueguinos.*

Bridges en 1898, a los cincuenta y seis años, sus hijos varones Despard, Lucas y Will se hicieron cargo de Harberton, y en 1902, a pedido de los ona y continuando la obra de su padre, construyeron la primera senda que cruzó la isla y fundaron al norte la estancia Viamonte, poblada con lanares llevados desde Harberton a través de las montañas, y donde se dio empleo a los indígenas.

Lucas Bridges contó la historia de su padre, de Harberton y de Viamonte, en un hermoso libro publicado en 1948 y varias veces reeditado, *Uttermost Part of the Earth* (El último confín de la tierra).

Actualmente la estancia Harberton es administrada por Thomas Goodall, nieto de Will. Allí vive con su esposa Natalie Prosser y temporariamente con su madre, Clara Bridges, sus dos hijas y tres nietos. La señora de Goodall nació en los Estados Unidos, lleva treinta años en Tierra del Fuego, es autora de una conocida guía turística de la isla y ha reeditado el *Yamana-English Dictionary*.

Desde la década de 1980 la estancia se encuentra abierta al turismo entre octubre y abril. La casa principal está rodeada por las casas del personal, la carpintería, el taller, la despensa, el galpón de esquila, todos construidos con madera de lenga serruchada a mano en el lugar. La familia conserva en la casa la biblioteca del reverendo Bridges, así como diversas reliquias de los yágan y ona. Una de las construcciones del casco es la llamada "casa de los huesos", donde la señora de Goodall, bióloga y especialista en cetáceos, ha reunido una colección de esqueletos de delfines, marsopas y lobos marinos.

José Menéndez

Peón arreando ovejas en la inmensidad patagónica de José Menéndez.
En verano llegan trabajadores desde
la lejana provincia de Corrientes
para participar en la esquila.

PÁGINA DERECHA: *Frente de
la casa principal inaugurada en 1917
por don José Menéndez, fundador
de la estancia.*

Los planos y materiales utilizados para la construcción de la casa, madera, hierro y chapa, fueron traídos en barco directamente desde Inglaterra.

DERECHA: *Contigua al comedor, la veranda, ambiente típico de las estancias patagónicas.*

EN EL EXTREMO sur del continente, a más de tres mil kilómetros de la ciudad de Buenos Aires, Tierra del Fuego es la más grande de las islas del dilatado archipiélago austral argentino y chileno. En su parte oriental, sobre la orilla del río Grande, que desemboca a la altura de la ciudad del mismo nombre, se encuentra la estancia José Menéndez, llamada originalmente Primera Argentina. El terreno presenta al norte prados ondulados aptos para pastoreo de ovejas, y es muy boscoso hacia el sur, donde abundan los robles fueguinos y dos especies de abedules autóctonos, el ñire y la lenga. Hacer prosperar otros árboles o plantas en la isla implica un combate a brazo partido contra los "cuarenta bramadores", vientos marinos que soplan los doce meses del año y dominan el clima. Las plantaciones deben protegerse con cercos de madera de hasta cuatro metros de altura.

El casco, como sucede en la mayoría de las estancias australes, se asemeja a un pequeño pueblo. Sus casas están ubicadas alrededor de una plaza central: hay una para alojamiento de peones, otra para esquiladores, la del administrador, carpintería, taller, panadería, biblioteca, caballerizas, y un galpón de esquila de siete mil quinientos metros cuadrados, que se encuentra entre los más grandes del mundo. Un poco alejada de este conjunto, sobre una loma, está la casa principal, de madera, hierro y chapa, que fue traída de Inglaterra desarmada y se levantó e inauguró en 1917.

El fundador de esta estancia fue el español José Menéndez; llegó a la Argentina en 1866, a los veinte años; en Buenos Aires se casó con la uruguaya María Behety, y se estableció con ella en la ciudad chilena de Punta Arenas, donde tendría en adelante su centro de operaciones. Estas tomaron grandes dimensiones, en los rubros comercial, naviero, ganadero, minero, y maderero.

En 1878 compró quinientas ovejas de las islas Malvinas, que fueron de las primeras en aclimatarse en el sur continental y establecieron la base de su ganadería en las estancias que formó posteriormente en la Patagonia. La actividad de José Menéndez abarcó gran parte del territorio austral: en páramos deshabitados debió crear caminos, ferrocarriles, puertos, líneas marítimas, plantas industrializadoras. En 1896 llegó a Tierra del Fuego; al año siguiente le compraba a Juan N. Fernández ciento cincuenta mil hectáreas que habían constituido la concesión de Julius Popper. Llamó a

PÁGINAS ANTERIORES: *La luz del amanecer fueguino ilumina el casco de José Menéndez. Apartada del conjunto, sobre una loma, se encuentra la casa principal. El galpón de esquila, con sus corrales repletos de ovejas, resalta por su gran tamaño.*

Piño de ovejas rumbo a la esquila. José Menéndez posee una capacidad de veinticinco mil lanares en una extensión de cincuenta mil hectáreas.

la estancia Primera Argentina, pues era la primera que creaba en territorio argentino. Comenzó por alambrar el campo, y poblarlo de ovejas, traídas de su estancia chilena San Gregorio, ubicada sobre el estrecho de Magallanes. La Primera Argentina llegó a tener a principios de siglo más de cien mil cabezas de lanares, además de sus crías. Al otro lado del río Grande José Menéndez formó otro de sus establecimientos fueguinos, la Segunda Argentina, cuya superficie alcanzaba las ciento setenta mil hectáreas.

A la muerte de María Behety, en 1908, el patrimonio se dividió entre José Menéndez y sus hijos. Así surgió la Sociedad Anónima Ganadera y Comercial Menéndez Behety, con sede en Punta Arenas, y más tarde la Sociedad Anónima Importadora y Exportadora de la Patagonia con sede en Buenos Aires, fundada por José Menéndez y su yerno Mauricio Braun.

Menéndez pasó los últimos años de su vida en la ciudad de Buenos Aires, en su casa de la calle Santa Fe, donde agasajaba a españoles eminentes de paso por el país. Murió en 1918, a los setenta y tres años. Sus hijos rebautizaron la Primera Argentina con su nombre, y la Segunda Argentina con el de su esposa, María Behety.

La estancia José Menéndez es actualmente propiedad de los hermanos José, Eduardo, Luis y Ricardo Menéndez Hume, bisnietos del fundador. La actividad productiva sigue siendo la cría de ovejas de raza Corriedale, pero en los últimos años, con la baja del precio de la lana, se ha incrementado la producción de corderos para venta y también de vacunos Hereford; veinticinco mil lanares y mil seiscientos vacunos es la capacidad actual de sus cincuenta mil hectáreas.

La Primavera

En el parque, una sencilla fuente de piedra contrasta con las imponentes montañas de la precordillera andina.

PÁGINA DERECHA: *Solitaria en el majestuoso marco natural del valle del Traful, se encuentra La Primavera, estancia de la familia Larivière.*

La casa principal fue construida en 1924 con piedra del lugar y madera de ciprés cordillerano. Es una típica construcción de la región de los lagos del sur argentino.

DERECHA: En la decoración del living predomina el tema de pesca. Allí se exhibe una trucha de 9,8 kg, pescada con mosca en 1982 en el río Traful.

LA PRIMAVERA, propiedad de la familia Larivière, está situada a ochenta kilómetros de la ciudad de Bariloche, en la provincia de Neuquén. Su límite norte es el río Traful, cuyas aguas transparentes permiten ver los salmones y truchas que han dado fama a esta estancia entre pescadores deportivos del mundo entero. No son raros aquí los ejemplares de hasta seis y siete kilos.

En el paisaje de la estancia habitan zorros colorados, pumas, gatos monteses, ciervos colorados y jabalíes. Se han catalogado más de ciento cincuenta especies de pájaros, como por ejemplo la bandurria baya, el cauquén real, el halcón peregrino, la paloma cordillerana, el picaflor andino, el carpintero araucano y el patagónico... Y, por supuesto, el cóndor, cuyo vuelo es uno de los espectáculos más interesantes de La Primavera. En sus tierras pueden verse también cuevas con pinturas rupestres de antiguas civilizaciones indígenas.

A principios de siglo el gobierno nacional ofrecía gratuitamente la propiedad de lotes de diez mil hectáreas en la zona a quienes los alambraran, poblaran e introdujeran hacienda. Fue un norteamericano de Nueva York el que adquirió, en 1904, varios de esos lotes a ambos lados del río Traful: era Ralph Newbery, amigo personal del General Roca quien le aconsejó comprar tierras en la Patagonia. Formó la estancia Fortín Chacabuco, y una fracción que ocupaba el valle del Traful fue llamada La Primavera; contaba sólo con un puesto para el cuidado de la hacienda. Esta sección de diez mil hectáreas fue vendida en 1923 a un inglés, Sir Henry Bell, que había sido presidente del Ferrocarril Sud Argentino. Bell construyó la casa con piedras del lugar, según planos hechos en Londres. Pero se marchó poco después a Inglaterra y no volvió. Su mayordomo, un australiano, Guy Dawson, supo explotar los atractivos turísticos de la estancia: le alquiló La Primavera a su dueño ausente y la transformó en hostería internacional de pesca, con clientela mayoritariamente inglesa. En el Natural History Museum de Londres se conservan cartas de Guy Dawson del año 1927 a distintos científicos ingleses describiendo una criatura extraña avistada en el lago Traful: "la cabeza es algo más grande que la de un guanaco, de color pardo, pero el cuerpo, que parece ser de tamaño considerable, no ha asomado a la superficie". La carta también dice que, asus-

IZQUIERDA: *Los ciervos colorados abundan en La Primavera. Fueron introducidos en la región en la década de 1920.*

Un ejemplar de Sorbus aucuparia luciendo su espléndido rojo otoñal.

Recuerdo de un paseo en La Primavera, a orillas del río Traful. Felipe Larivière (segundo de la derecha) y a su lado su esposa, Luisa Torres Duggan, acompañados por sus amigos de las familias Balcarce y Ocampo. Fotografía tomada en la década de 1930. Colección privada.

DERECHA: *La actividad principal de La Primavera es la pesca en el río Traful, cuyas riberas conservan una naturaleza intocada.*

PÁGINAS SIGUIENTES: *Vista general del Lago Traful desde la estancia. Hacia 1927, los puesteros de La Primavera aseguraron ver una criatura extraña que emergía de sus aguas transparentes.*

tada, la mujer de un puestero había disparado con un rifle para espantar al monstruo.

En 1931 llegó a hospedarse por primera vez Felipe Larivière, hijo de un francés y de la argentina María Luisa Dose Armstrong. La familia, de las pocas que se atrevían por entonces a hacer turismo en los lagos del sur cordillerano, quedó enamorada del sitio; Larivière se alojó en la estancia dos veranos seguidos, y al fin en 1935 viajó a Londres y compró a Sir Henry Bell la propiedad. Amplió la casa, construyó otra para el mayordomo, galpones para hacienda, y plantó árboles para formar el parque. Pasó muchos meses del año allí, durante cuarenta años. La Primavera ganó celebridad como lugar de pesca. A su muerte la propiedad se dividió entre sus dos hijos, una mitad a cada lado del río: Felipe (h.) siguió en el casco original, con cinco mil hectáreas, y Maurice creó la estancia Arroyo Verde, donde construyó una pintoresca casa en 1976.

Actualmente La Primavera recibe pescadores de todo el mundo, que se alojan en una cabaña destinada a este fin. La estancia se halla dentro de la reserva del Parque Nacional Nahuel Huapí. La fauna está protegida, y no se permite sacar más de un pez por pescador. Entre los visitantes ilustres se han contado el presidente norteamericano Eisenhower en 1960 y el rey Leopoldo de Bélgica en 1962. Felipe Larivière (h.), que ha sido en dos ocasiones presidente del directorio de Parques Nacionales, y su esposa Teresa Adrogué, pasan largas temporadas en La Primavera.

Bibliografía

Argote de Molina, Gonçalo. *Libro, de la Monteria que mando escrevir el muy alto y muy poderoso Rey Don Alonso de Castilla, y de Leon, Ultimo deste nombre.* Sevilla, Andrea Pescioni, 1582.

Azara, Félix de. *Voyages dans l'Amérique Méridionale.* Paris, Dentu, 1809, tres volúmenes y un atlas.

Backhouse, Hugo. *Among the Gauchos.* London, Jarrolds Publishers, 1940.

Bacle y Ca. *Trages y Costumbres de la Provincia de Buenos-Ayres. Cuaderno 6°. Litografía de... Impresores Litograficos del Estado.* Buenos Aires, 1833.

Beaton, Cecil. *The Parting Years, 1963–74.* London, Weidenfeld & Nicholson, 1978.

Bridges, E. Lucas. *Uttermost Part of the Earth.* London, Hodder & Stoughton, 1948.

Buschiazzo, Mario J. *La estancia jesuítica de Santa Catalina.* Documentos de Arte Argentino, cuaderno IX. Buenos Aires, Academia Nacional de Bellas Artes, 1940.

Canclini, Arnoldo, coord. *Ushuaia 1884–1984. Cien años de una ciudad argentina.* Municipalidad de Ushuaia, 1984.

Carreño, Virginia. *Estancias y estancieros.* Buenos Aires, Editorial y Librería Goncourt, 1968.

Carril, Bonifacio del. *El gaucho. Su origen. Su personalidad. Su vida.* Buenos Aires, Emecé Editores, 1993.

———— *Monumenta Iconographica. Paisajes, ciudades, tipos, usos y costumbres de la Argentina. 1536–1860.* Notas biográficas por Aníbal G. Aguirre Saravia. Buenos Aires, Emecé Editores, 1964.

Cornejo, Atilio. *Apuntes históricos sobre Salta.* Buenos Aires, Ferrari Hnos, 2° ed., 1937.

Darwin, Charles. *A Naturalist's Voyage. Journal of researches into the Natural History and Geology of the countries visited during the voyage of H.M.S. 'Beagle' round the world...* London, John Murray, 1889. Reproduce la edición de 1845. Hay edición castellana. Buenos Aires, El Ateneo, 1951.

Dawson, Guy H. Letter to John R. Moss (typed carbon copy dated Jan. 26/1927). Thomas 1927 A-2, Red Folder Box. Forwarding Letters from Argentina. Natural History Museum, London.

Dobrizhoffer, Martín S. J. *Historia de los Abipones.* Traducción de Edmundo Wernicke. Resistencia, Chaco, Universidad Nacional del Nordeste, Facultad de Humanidades, tres volúmenes, 1967, 1968 y 1970.

D'Orbigny, Alcide. *Voyage dans l'Amérique Méridionale... Exécuté pendant les années 1826, 1827, 1828, 1829, 1830, 1831, 1832 et 1833. Partie Historique.* Paris y Strasbourg, Pitois-Levrault, tomo I, 1835 y atlas.

Du Graty, Alfred M. *La Confédération Argentine.* Paris, Guillaumin et Cie, 1858.

Falkner, Thomas. *A description of Patagonia, and adjoining parts of South America...* Hereford, G. Pugh, M.DCC. LXXIV. Hay traducción castellana por Samuel A. Lafone Quevedo, en *Descripción de la Patagonia.* Buenos Aires, Universidad Nacional de La Plata, Imprenta de Coni Hermanos, 1911.

Gazaneo, Jorge O. *Estancias I.* Buenos Aires, Academia Nacional de Bellas Artes, 1965.

———— *Estancias II.* Buenos Aires, Academia Nacional de Bellas Artes, 1965.

Guía Social Butterfly. *Con direcciones, unidades telefónicas, estancias, días de recibo y fotografías de señoras, señoritas y niñas de las familias distinguidas de nuestra sociedad.* Buenos Aires, 1908.

Gutiérrez, Ramón y Viñuales, Graciela. *Arquitectura de los Valles Calchaquíes.* Buenos Aires, Mac Gaul Ediciones, 1979.

Guzmán, Yuyú. *El país de las estancias.* Tandil, Ediciones Tupac-Amarú, 2° ed., 1986.

Huret, Jules. *La Argentina. Del Plata a la Cordillera de los Andes.* Paris, Eugène Fasquelle, 1911.

Ibarguren, Carlos. *Juan Manuel de Rosas. Su vida. Su tiempo. Su drama.* Buenos Aires, Librería "La Facultad", 2° ed., 1930.

Jurado, José M. *La estancia en Buenos Aires,* en *Anales de la Sociedad Rural Argentina.* Vol IX, N° 2. Buenos Aires, Imprenta de M. Biedma, febrero 28 de 1875.

López, Lucio V. *El salto de Ascochinga,* en *La Biblioteca,* año I, N° 7. Buenos Aires, Librería de Félix Lajouane, diciembre de 1896.

MacCann, William. *Two thousand miles' ride through the Argentine provinces;...* London, Smith, Elder & Co, 1853, dos volúmenes.

Moncaut, Carlos Antonio. *Pampas y estancias. Nuevas evocaciones de la vida bonaerense.* City Bell, El Aljibe, 1978.

Nuestras estancias. Cincuenta estancias representativas de la República Argentina. Buenos Aires, Casa Pardo S.A., 1968.

Page, Thomas J. *La Plata, the Argentine Confederation, and Paraguay... During the years 1853, '54, '55, and '56...* London, Trubner & Co., 1859.

Parchappe, Narciso. *Voyage de Narciso Parchappe à la Cruz de Guerra,* en *Alcide D'Orbigny. Voyage...,* ob. cit., tomo I, capítulos XIV a XVI.

Paucke, Florián S. J. *Hacia allá y para acá (Una estada entre los indios mocobíes, 1749–1767).* Traducción castellana por Edmundo Wernicke. Tucumán–Buenos Aires, Universidad Nacional de Tucumán, Institución Cultural Argentino Germana, cuatro volúmenes, 1942, 1943 y 1944.

Pellegrini, C. H. *Tableau pittoresque de Buenos-Ayres dédié à Mr. Woodbine Parish Consul général et Chargé d'affaires de S.M.B.* Buenos-Ayres, 1831. Acuarelas originales y texto manuscrito por Pellegrini.

———— *Revista del Plata...* Buenos Aires, Imprenta de la Revista, N° 4, diciembre, 1853.

Prosser Goodall, Rae Natalie. *Tierra del Fuego.* Ushuaia, Ediciones Shanamaiim, 3° ed. 1978.

Pueyrredon, Gustavo A. *Las estancias ovejeras del pasado. "Los Yngleses" de los Gibson,* en *Anales de la Sociedad Rural Argentina,* Buenos Aires, marzo de 1959.

Ramos Mejía, Enrique. *Los Ramos Mejía. Apuntes históricos.* Buenos Aires, Emecé Editores, 1988.

Sáenz Quesada, María. *Los estancieros.* Buenos Aires, Editorial Sudamericana, 1991.

Sánchez Elía, Clara Zuberbühler de. *Miraflores.* Buenos Aires, 1991.

Scobie, James R. *Revolución en las pampas. Historia social del trigo argentino 1860–1910.* Buenos Aires, Solar/Hachette, 1978.

Zuberbühler, Josefina Larreta Anchorena de. *Recuerdos.* Buenos Aires, 1985.